30 DIAS COM A MÃE DE JESUS

SANTO AFONSO MARIA DE LIGÓRIO
(Textos selecionados)

30 DIAS COM A MÃE DE JESUS

Seleção de textos
Pe. Ferdinando Mancilio

Direção Editorial: Pe. Fábio Evaristo R. Silva, C.Ss.R.
Coordenação Editorial: Ana Lúcia de Castro Leite
Copidesque: Luana Galvão
Revisão: Denis Faria
Diagramação e Capa: Mauricio Pereira

Dados Internacionais de Catalogação na Publicação (CIP)
(Câmara Brasileira do Livro, SP, Brasil)

Afonso Maria de Ligório, Santo, 1696-1787
30 dias com a Mãe de Jesus / Santo Afonso Maria de Ligório (textos selecionados); seleção de textos Pe. Ferdinando Mancilio. – Aparecida, SP: Editora Santuário, 2017.

ISBN 978-85-369-0501-3

1. Maria, Virgem, Santa - Culto 2. Maria, Virgem, Santa - Devoção 3. Orações I. Mancilio, Ferdinando. II. Título.

17-05038 CDD-232.91

Índices para catálogo sistemático:
1. Maria, Mãe de Jesus: Devoção: Mariologia 232.91

3ª impressão

Rua Pe. Claro Monteiro, 342 – 12570-000 - Aparecida-SP
Tel.: 12 3104-2000 – Televendas: 0800 - 0 16 00 04
www.editorasantuario.com.br
vendas@editorasantuario.com.br

Sumário

Apresentação

Colocamos em suas mãos uma riqueza mariológica, uma herança preciosa que recebemos de Afonso Maria de Ligório: seu amor incontido para com Nossa Senhora. Afonso foi um homem apaixonado pela pessoa de Jesus e não o compreendia sem a pessoa de Maria. Seu coração batia forte, muito forte, quando escutava palavras ou referências à Mãe de Jesus. Todos os santos sempre tiveram em conta a pessoa de Maria, mas Afonso parece que ultrapassou todos eles.

Seguindo essa bela herança redentorista, esse opúsculo pastoral e mariológico deseja tocar-lhe o coração e seus sentimentos, para que, bebendo da fonte alfonsiana, você compreenda com alegria o quanto Deus o ama.

Os textos marianos inseridos neste livro são da obra "As Glórias de Maria", de Santo Afonso, editado pela Editora Santuário. Ele foi organizado para servir como uma proposta de reflexão e de oração, com os textos da Bíblia, principalmente com os do Evangelho. Em cada um dos 30 dias, você meditará e alimentará sua vida cristã com a Palavra de Deus e encontrará, no exemplo de Maria, um estímulo para perseverar no caminho de Cristo. Boa oração!

Mistério do amor divino

Mistério do amor divino

Pelo fim do século VII, apareceram alguns hinos, e, a partir do século VIII, celebravam-se, em vários conventos do Oriente, festas em louvor da Imaculada Conceição. Em 1166, o imperador Manuel Comneno declarou a festa como feriado nacional. Do Oriente, veio ela para o sul da Itália, de onde passou para a Normandia. Mais tarde, tornaram-se os franciscanos inconfundíveis beneméritos da propagação e popularização da festa. Veio depois o período das discussões teologais nas escolas. Nelas ficaram bem assentadas e esclarecidas as noções e as provas. Pôde, assim, Pio IX declarar dogma de fé e doutrina, que ensina ter sido a Mãe de Deus concebida sem mancha, por um especial privilégio divino. Dava-se isto aos 8 de dezembro de 1854, pela Bula *Ineffabilis*. Pio IX, ao declarar S. Afonso doutor da Igreja, afirmou "que nos escritos do Santo encontrara, belamente exposto e irrefutavelmente provado" o que o definira como Chefe da Cristandade.

1º Dia

A Imaculada Conceição

Incalculável foi a ruína que o maldito pecado causou a Adão e a todo o gênero humano. Perdendo então miseravelmente a graça de Deus, com ela perdeu também todos os outros bens que no começo o enriqueciam. Sobre si e seus descendentes, ao lado da cólera divina, atraiu uma multidão de males. Dessa comum desventura, quis Deus, entretanto, eximir a Virgem bendita. Destinara-a para ser a Mãe do segundo Adão, Jesus Cristo, o qual devia reparar o infortúnio causado pelo primeiro. Ora, vejamos quanto convinha às Três Pessoas preservar Maria da culpa primitiva: isso por ser ela Filha de Deus-Pai, Mãe de Deus Filho e Esposa de Deus Espírito Santo.

Leia, reze e medite

"Não existe amor maior do que o daquele que dá sua vida por seus amigos. Vocês são meus amigos, se fazem o que eu lhes mando. Não os chamo mais de servos, porque o servo não sabe o que faz seu patrão. Mas chamo-os de amigos, porque lhes contei tudo o que ouvi de meu Pai. Não foram vocês que me escolheram, mas fui eu que os escolhi e lhes confiei a missão de irem e produzirem fruto, um fruto duradouro, a fim de que, tudo quanto pedirem a meu Pai em meu nome, ele lhes conceda. Esta é a minha ordem: Amem-se uns aos outros!" (Jo 15,13-17).

Maria, eleita de Deus

Assim fala São Bernardo à Senhora: antes de toda criatura, fostes destinada na mente de Deus para Mãe do Homem-Deus. Se não por outro motivo, pois ao menos pela honra de seu Filho, que é Deus, era necessário que o Pai Eterno a criasse pura de toda mancha. Escreve São Tomás: devem ser santas e limpas todas as coisas destinadas para Deus. Por isso Davi, ao traçar o plano do templo de Jerusalém com a magnificência digna do Senhor, exclamou: "não se prepara a morada para algum homem, mas para Deus" (1Cr 29,1). Ora, o soberano Criador havia destinado Maria para Mãe de seu próprio Filho. Não devia, então, adornar-lhe a alma com todas as mais belas prendas, tornando-a digna habitação de um Deus?

Oração

Ó minha Senhora, minha Imaculada, alegro-me convosco por ver-vos enriquecida de tanta pureza. Agradeço e proponho agradecer sempre a nosso comum Criador ter-vos preservado de toda mancha de culpa. Disso tenho plena convicção e, para defender este vosso tão grande e singular privilégio da Imaculada Conceição, juro dar até minha vida. Estou pronto a fazê-lo, se preciso for. Desejaria que o mundo, o universo, reconhecesse-vos e confessasse como aquela formosa aurora, sempre adornada da divina luz; como aquela arca eleita de salvação, livre do comum naufrágio do pecado; como aquela perfeita e imaculada pomba, qual vos declarou vosso divino Esposo; como aquele jardim fechado, que foi as delícias de Deus; como aquela fonte selada, na qual o inimigo jamais pôde entrar para turvá-la; como aquele cândido lírio, finalmente, que, brotando entre os espinhos dos filhos de Adão, enquanto todos nascem manchados da culpa e inimigos de Deus, vós nascestes pura e imaculada, amiga de vosso Criador...

– Rogai por nós, ó Santa e Bendita eleita de Deus.

– Sede para nós o apoio de que precisamos e a vida que buscamos. Amém.

– Salve, Rainha, mãe de misericórdia...

– Rogai por nós, ó Virgem, Mãe e Senhora,

– Para que sejamos dignos das promessas de Cristo.

2º dia

A natividade de Maria

Inegavelmente, foi a alma de Maria a mais bela que Deus criou. Depois da Encarnação do Verbo, foi esta a obra mais formosa e mais digna de si, feita pelo Onipotente neste mundo. Uma maravilha enfim que só é excedida pelo próprio Criador. Por isso não desceu a graça em Maria, gota a gota como nos outros santos. Desceu, ao contrário, tal como "a chuva sobre o velo" (Sl 71,6). Semelhante à lã do velo, sorveu a Virgem com alegria toda a grande chuva de graça, sem perder uma só gota.

Era-lhe, pois, lícito exclamar: "na plenitude dos santos está minha morada" (Eclo 24,16). Isso significa, conforme a explicação de São Boaventura: possuo em sua plenitude o que só em parte possuem os outros santos. E São Vicente Ferrer, referindo-se particularmente à santidade de Maria, antes de seu nascimento, diz que ela excedeu a de todos os anjos e santos.

A graça que adornou a Santíssima Virgem sobrepujou não só a de cada um em particular, mas a de todos os santos reunidos.

Leia, reze e medite

"Naquele momento, exultou Jesus de alegria no Espírito Santo e disse: 'Eu vos bendigo, ó Pai, Senhor do céu e da terra, porque estas coisas que escondestes aos sábios e entendidos, vós as revelastes à gente simples. Sim, Pai, eu vos bendigo, porque foi de vosso agrado fazer isto. O Pai me entregou todas as coisas, e ninguém conhece quem é o Filho senão o Pai, nem quem é o Pai, senão o Filho, e aquele a quem o Filho o quiser revelar'" (Lc 10,21-22).

Maria foi fiel à divina graça

Alegremo-nos com a nossa amável menina, que nasce tão santa, tão cara a Deus, e cheia de graça. E alegremo-nos não só por ela, mas também por nós. Pois veio ao mundo enriquecida de graça tanto para a glória como para o bem nosso. Adverte Santo Tomás que de três modos foi cheia de graça a Santíssima Virgem. *Na alma*, porque desde o princípio sua bela alma foi inteiramente de Deus. *No corpo*, pois que de sua puríssima carne mereceu revestir o Verbo Eterno. Finalmente o foi *em nosso comum benefício*, para que todos os homens pudessem participar da sua graça. Alguns santos, ajunta o Doutor Angélico, possuem tanta graça que não só lhes basta a eles, como é suficiente para salvar a muitos, ainda que não a todos os homens. Só a Jesus e a Maria foi dada tão abundante graça, que seria suficiente para salvar a todo o gênero humano.

Oração

Ó santa e celeste menina, vós que sois a Mãe destinada a meu Redentor, e a grande medianeira dos míseros pecadores, tende piedade de mim. Eis a vossos pés outro ingrato, que a vós recorre e implora compaixão. É certo que eu, por minhas ingratidões para com Deus e para convosco, mereceria ser abandonado por Deus e por vós. Mas eu ouço dizer, e assim creio, que vós não recusais ajudar quem com confiança a vós se recomenda. Assim o creio por saber quanto é grande vossa misericórdia.

Ó criatura, a mais sublime do mundo, já que acima de vós não há senão Deus, e diante de vós são mui pequenos os grandes céus; ó santa dos santos, ó Maria, abismo de graça e cheia de graça, socorrei um miserável, que a perdeu por sua culpa. Sei que sois tão cara a Deus que Ele nada vos nega. Sei também que gostais de empregar vossa grandeza em aliviar os miseráveis pecadores. Eia, pois, mostrai quanto é grande o crédito que tendes junto a Deus, e impetrai-me uma luz, uma chama divina tão poderosa, que de pecador me mude em santo. Desprendei-me de todo afeto terreno para que eu me abrase todo no divino amor. Fazei-o, Senhora, que bem podeis fazê-lo. Fazei-o pelo amor daquele Deus que vos fez tão grande, tão cheia de poder e de piedade. Assim espero. Amém.

– Rogai por nós, ó Bendita e Escolhida de Deus.

– Guardai-nos em vosso amor e conservai--nos na união. Amém.

– Salve, Rainha, mãe de misericórdia...

– Rogai por nós, ó Virgem, Mãe e Senhora,

– Para que sejamos dignos das promessas de Cristo.

3º dia

A apresentação de Maria

Desde o primeiro momento em que esta celeste menina foi santificada no seio de sua Mãe (que foi o primeiro instante de sua Imaculada Conceição), recebeu também o uso perfeito da razão. Pois logo aí devia começar a adquirir mérito.

Assim o afirmam, por comum sentença, os doutores como Padre Suárez. Na opinião deste último, o modo mais perfeito por que Deus santifica as almas consiste, também segundo Santo Tomás, em santificá-la por próprio merecimento, como se deve crer que foi santificada a Santíssima Virgem. E esse privilégio foi concedido aos anjos e a Adão, assevera-nos o Doutor Angélico. Ainda com maior razão devemos crer que foi concedido a Maria, pois, havendo-se Deus dignado fazê-la sua Mãe, temos que supor que lhe haja conferido maiores dons, que a todas as outras criaturas. Em sua qualidade de Mãe, diz Suárez, tem a Virgem certo direito singular a todos os dons de seu Filho. Em virtude da união hipostática, foi justo que Jesus tivesse a plenitude de todas as graças. Assim, por causa da maternidade divina, conveio também que de Jesus recebesse Maria graças maiores, do que todas as dispensadas aos outros santos e anjos.

Leia, reze e medite

"Jesus ainda estava falando ao povo, quando veio sua mãe com seus irmãos, que ficaram de fora, procurando lhe falar. Alguém lhe disse: 'Tua mãe e teus irmãos estão aí fora e querem falar contigo'. Respondeu Jesus a quem lhe trouxe a notícia: 'Quem é minha mãe, e quem são meus irmãos?' E, apontando para os discípulos, acrescentou: 'Aqui está minha mãe e meus irmãos. Pois todo aquele que fizer a vontade do meu Pai, que está nos céus, esse será meu irmão, irmã e mãe'" (Mt 12,46-50).

Maria ofereceu a Deus seu ser

Ah! Certamente por amor desta excelsa menina, acelerou o Redentor sua vinda ao mundo. Enquanto Maria, em sua humildade, nem se julgava digna de ser a serva da Divina Mãe, foi ela mesma a eleita para essa sublime dignidade. Com a fragrância de suas virtudes e poderosas súplicas, atraiu a seu seio virginal o Filho de Deus. Por isso dela diz o Divino Esposo: "ouviu-se a voz da rola em nossa terra" (Ct 2,12). À semelhança da rola amava sempre a solidão, vivendo neste mundo como em um deserto. Como a rola que vai carpindo pelos campos, Maria sempre gemia no templo, lamentando as misérias do mundo perdido e pedindo a Deus a comum redenção. Oh! Com que afeto e fervor repetia diante de Deus as súplicas dos profetas, para que mandasse o Redentor!

Oração

Ó dileta de Deus, amabilíssima menina Maria, ah! se assim como vos apresentastes no templo, pronta e inteiramente, consagrastes-vos à glória e ao amor de vosso Deus, eu pudesse também vos oferecer neste dia os primeiros anos de minha vida para dedicar-me todo a vosso serviço, ó santa e dulcíssima Senhora minha, como seria então feliz! Mas não é mais tempo, porquanto, infeliz, tenho perdido tantos anos a servir o mundo e meus caprichos, quase inteiramente esquecido de vós e de meu Deus...

Consagro-vos, pois, ó minha Rainha, minha mente, para que pense sempre no amor que mereceis; minha língua, para louvar-vos; meu coração, para amar-vos. Aceitai, ó puríssima Virgenzinha, a oferta que vos apresenta este mísero pecador... Ajudai com vossa poderosa intercessão, ó Mãe de misericórdia, minha fraqueza e impetrai-me de vosso Jesus a perseverança e a fortaleza para ser-vos fiel até a morte, a fim de que, servindo--vos sempre nesta vida, possa depois ir louvar-vos eternamente no céu.

– Rogai por nós, ó Virgem Santa e Imaculada.

– Fazei-nos santos e santas, como sois a Santa de Deus. Amém.

– Salve, Rainha, mãe de misericórdia...

– Rogai por nós, ó Virgem, Mãe e Senhora,

– Para que sejamos dignos das promessas de Cristo.

4º dia

A anunciação a Maria

O nardo, planta pequena e baixa, é figura da humildade de Maria, cujo odor subiu ao céu e atraiu o Verbo do seio do Eterno Pai a seu seio virginal. De modo que o Senhor, atraído pela fragrância dessa humilde virgenzinha, a escolheu para sua Mãe, querendo fazer-se homem, para remir o mundo... O anjo entra e saúda-a dizendo: Ave, Maria, cheia de graça; o Senhor é convosco e bendita sois entre as mulheres (Lc 1,28). Deus vos saúda, ó Virgem cheia de graça, pois fostes sempre rica da graça, acima de todos os santos. O Senhor é convosco, porque sois tão humilde! Bendita sois entre as mulheres, porquanto as outras incorrem na maldição da culpa; mas vós, porque havíeis de ser Mãe do Bendito, sois e sereis sempre bendita e isenta de toda a mácula...

Entretanto, a humilde Maria, a essa saudação toda cheia de louvores, que responde? Nada; não respondeu, mas pensando na saudação perturbou-se... E por que se assustou? Turbou-se com seu dizer. Mas não com sua aparição... Essa perturbação foi causada unicamente por sua humildade, que absolutamente não podia compreender semelhantes louvores. Por isso, quanto mais belo anjo ouve exaltar-se, mais se humilha e considera o seu nada.

Leia, reze e medite

"No sexto mês, o anjo Gabriel foi enviado por Deus a uma cidade da Galileia, chamada Nazaré, a uma jovem, noiva de um homem, de nome José, da casa de Davi; a jovem chamava-se Maria... Disse-lhe o Anjo: 'Alegra-te, ó cheia de graça, o Senhor é contigo, tu és bendita entre as mulheres... Não tenhas medo, Maria ... Conceberás e darás à luz um filho e lhe porás o nome de Jesus. Ele será grande e será chamado Filho do Altíssimo. O Senhor Deus lhe dará o trono de Davi, seu pai, e ele reinará para sempre na casa de Jacó. E seu reino não terá fim... O Espírito Santo descerá sobre ti e a força do Altíssimo te cobrirá com sua sombra. Por isso, o Santo que vai nascer será chamado Filho de Deus. Isabel, tua parenta, também ela concebeu um filho em sua velhice e está no sexto mês aquela que era chamada estéril, porque nada é impossível para Deus'. Disse então Maria: 'Eis aqui a escrava do

Senhor, faça-se em mim segundo a tua palavra'. E o anjo retirou-se da sua presença" (Lc 1,26-38).

Maria é a criatura mais próxima ao Senhor

Necessário seria compreender quão sublime é a grandeza de Deus, para também se compreender a altura a que foi Maria elevada. Bastará, pois, somente dizer que Deus fez desta Virgem sua Mãe, para entender com isso que não lhe era possível exaltá-la mais do que a exaltou... Deus a colocou em uma altura superior a todos os santos e anjos. Exceto Deus, ela é sem comparação mais elevada do que todos os espíritos celestes... Santo Anselmo escreve: Senhora, vós não tendes quem vos seja igual, porque qualquer outro ou está acima, ou está abaixo de vós; só Deus vos é superior, e todos os outros vos são inferiores. É tão grande, em suma, a grandeza da Virgem, conclui São Bernardino, que só Deus pode e sabe compreendê-la.

Oração

Ó Virgem imaculada e santa, ó criatura, a mais humilde e a mais excelsa diante de Deus! Fostes tão pequena aos vossos olhos, porém tão grande aos olhos do Senhor, que Ele vos exaltou a ponto de vos escolher para sua Mãe e fazer-vos depois Rainha do céu e da terra. Dou, pois, graças àquele Deus, que tanto vos sublimou, e me alegro convosco por ver-vos tão unida a Deus, que mais não é possível a uma pura criatura. Diante de vós, que sois tão humilde, com tantos dotes, envergonho-me de comparecer, eu, miserável, tão soberbo e tão carregado de pecados. Entretanto, mesmo assim, quero saudar-vos: Ave, Maria, cheia de graça. Sois cheia de graça, impetrai também a graça a mim...

Rogai sempre; rogai agora, que estamos em vida no meio de tantas tentações e perigos de perder a Deus. Mas, sobretudo, rogai por nós na hora de nossa morte, quando estivermos a ponto de deixar este mundo e sermos apresentados ao divino tribunal, a fim de que, salvando-nos pelos merecimentos de Jesus Cristo e por vossa intercessão, possamos um dia, sem perigo de jamais nos perder, saudar-vos e louvar-vos com vosso Filho no céu, por toda a eternidade. Amém.

– Rogai por nós, ó Escolhida de Deus.

– Fazei-nos santos e santas, como sois a Santa de todos os Santos. Amém.

– Salve, Rainha, mãe de misericórdia...

– Rogai por nós, ó Virgem, Mãe e Senhora,

– Para que sejamos dignos das promessas de Cristo.

5º dia

A visitação de Maria

Do arcanjo São Gabriel ouviu a Santíssima Virgem que Isabel, sua prima, estava grávida de seis meses. Iluminada interiormente pelo Espírito Santo, conheceu que o Verbo humanado, e já feito seu Filho, queria começar a manifestar ao mundo as riquezas de sua misericórdia. E era resolução dele começá-lo pela distribuição das primícias àquela família de Isabel. Por isso, sem demora e com pressa, partiu a Virgem para as montanhas (Lc 1,39). Levantando-se da tranquilidade de sua contemplação, a que estava sempre aplicada, e deixando sua cara solidão, com grande pressa partiu para a casa de Isabel. E, porque a caridade tudo suporta (1Cor 13,7) e não sabe sofrer demoras (como sobre o texto diz Santo Ambrósio), pôs-se a tenra e delicada donzela a caminho, sem se atemorizar com as fadigas da viagem. Chegada àquela casa, saudou sua prima.

Leia, reze e medite

"Naqueles dias, Maria partiu em viagem, indo às pressas para a região montanhosa, para uma cidade da Judeia. Entrou na casa de Zacarias e cumprimentou Isabel. Logo que Isabel ouviu a saudação de Maria, o menino saltou em seu seio, e Isabel ficou cheia do Espírito Santo e exclamou em alta voz: 'Tu és bendita entre as mulheres e bendito é o fruto do teu ventre! E donde me vem a honra de ser visitada pela mãe de meu Senhor? Assim que chegou a meus ouvidos a voz de tua saudação, o menino saltou de alegria em meu seio. Bem-aventurada aquela que acreditou! Pois vai se cumprir tudo o que lhe foi dito da parte do Senhor!'" (Lc 1,39-45).

Maria é rica em misericórdia

Avivemos, pois, cada vez mais a nossa confiança, ó devotos de Maria, sempre que a ela recorremos pedindo-lhe graças. Para avivá-las, tenhamos sempre presentes duas grandes prerrogativas que possui essa boa Mãe: o desejo de nos fazer bem e o poder de conseguir do Filho tudo quanto lhe pede. Quão vivo é seu desejo de ajudar a todos! Uma simples reflexão sobre o mistério da presente festividade de sua Visitação seria bastante para no-lo mostrar...

Note-se que o evangelista, quando fala da ida de Maria à casa de Isabel, diz que foi com pressa. Falando, porém, de sua volta, já não faz menção da pressa. Diz simplesmente: "e ficou Maria com Isabel perto de três meses, depois dos quais voltou para sua casa" (Lc 1,56). Que outro fim, pois, pergunta Conrado de Saxônia, forçava a Mãe de Deus a apressar-se ao ir visitar a casa do Batista, senão o desejo de fazer bem àquela família? Não diminuiu em Maria, com a subida para o céu, esse afeto de caridade para com os homens. Cresceu, ao contrário, porque conhece melhor as nossas necessidades e mais se compadece de nossas misérias.

Oração

Virgem Imaculada e bendita, vós sois a dispensadora universal de todas as graças, e como tal sois a esperança de todos e minha esperança também. Dou sempre graças a meu Senhor, que me fez conhecer-vos e compreender o meio de obter as graças e salvar-me. O meio sois vós, ó grande Mãe de Deus, porquanto sei que principalmente pelos merecimentos de Jesus e por vossa inter-

cessão, hei de salvar-me. Ah! Minha Rainha! Vós noutro tempo vos destes tanta pressa em visitar e santificar, em vossa visita, a casa de Isabel. Visitai por quem sois, e visitai depressa a pobre casa de minha alma. Apressai-vos; vós sabeis, melhor do que eu, quanto ela é pobre e enferma de muitos males, de afetos desordenados, de hábitos maus e dos pecados cometidos: males pestíferos, que a querem levar à morte eterna. Vós podeis curá-la de todas as enfermidades. Visitai-me, pois, durante a vida, e visitai-me especialmente na hora da morte, porque então me será ainda mais necessária vossa assistência...

Rogai, pois, ó Maria, e recomendai-me a vosso Filho. Vós melhor do que eu conheceis minhas misérias e necessidades. Que mais posso dizer-vos? Tende piedade de mim...

– Rogai por nós, ó Mãe de caridade e de misericórdia.

– Recuperai, por vosso amor, nossa dignidade filial. Amém.

– Salve, Rainha, mãe de misericórdia...

– Rogai por nós, ó Virgem, Mãe e Senhora,

– Para que sejamos dignos das promessas de Cristo.

6º dia

A purificação de Maria

Maria, sem dúvida, já havia consentido na morte de Jesus, desde que se tornou Mãe. Isso, não obstante, quis o Senhor que neste dia ela fizesse no templo um solene sacrifício de si mesma, ofertando-lhe solenemente o Filho e sacrificando à divina justiça sua vida preciosa. Por isso Maria é chamada sacerdotisa, em uma homília que se atribui a São Epifânio. Ora, aqui passemos a ver quanta dor lhe custou esse seu sacrifício e quanto foi heroica a virtude que teve de exercer, subscrevendo ela mesma a sentença da condenação de seu caro Jesus à morte.

Eis que Maria já se encaminha para Jerusalém a oferecer o Filho. Apressa os passos para o lugar do sacrifício, levando em seus braços a vítima tão amada. Entra no templo, aproxima-se do altar e, ali, toda cheia de modéstia, humildade e devoção, apresenta seu Filho ao Altíssimo. Eis que, entretanto, se aproxima Simeão, que de Deus recebera a promessa de não morrer sem antes ter visto o Messias esperado, toma o Divino Menino das mãos da Virgem e, iluminado pelo Espírito Santo, anuncia-lhe quanto devia custar-lhe o sacrifício, que então fazia de seu Filho, com que há também de ser sacrificada sua alma bendita.

Leia, reze e medite

"E, quando se completaram os dias para eles se purificarem, segundo a Lei de Moisés, levaram-no a Jerusalém, para apresentá-lo ao Senhor, conforme o que está escrito na Lei do Senhor: *todo primogênito do sexo masculino seja consagrado ao Senhor*; e para oferecer em sacrifício, como se prescreve na Lei do Senhor, *um par de rolas ou dois pombinhos*. Seu pai e sua mãe estavam maravilhados com as coisas que dele se diziam. Simeão os abençoou e disse a Maria, sua mãe: 'Este menino vai ocasionar a queda e o reerguimento de muitos em Israel; ele será um sinal de contradição; a ti própria, uma espada te traspassará a alma para que se revelem os pensamentos de muitos corações'" (Lc 2,22-24.33-35).

Efeitos do sacrifício de Maria

Pelos merecimentos de suas dores e da oferta de seu Filho, Maria tornou-se Mãe de todos os remidos. Portanto é justo crer que só por sua mão se dê o leite das graças divinas, isto é, os frutos dos méritos de Jesus Cristo. É ao que alude São Bernardo, quando diz que Deus tem posto na mão de Maria todo o preço em nossa Redenção. Com o que nos faz o Santo entender que, por meio da intercessão da Santíssima Virgem, aplicam-se às almas os merecimentos do Redentor, já que por suas mãos se dispensam as graças que são justamente o preço dos merecimentos de Jesus Cristo...

Abraão mostrou-se pronto a oferecer seu filho a Deus. Essa disposição foi tão agradável ao Senhor, que lhe prometeu em recompensa multiplicar seus descendentes como as estrelas do céu... Diante disso devemos crer com certeza que muito mais grato foi ao Senhor o sacrifício incomparável, que de Jesus lhe fez a excelsa Mãe. Por isso foi a ela concedido que, pelas suas súplicas, se multiplicasse o número dos escolhidos, isto é, a afortunada descendência de seus filhos, pois como tais considera e protege todos os seus servos.

Oração

Ó santa Mãe de Deus e minha Mãe, Maria! Vós tanto vos interessastes por minha salvação, que chegastes a sacrificar à morte o objeto mais caro a vosso coração, vosso amado Jesus... Quereria, ó minha Rainha, também eu neste dia, a vossa imitação oferecer meu pobre coração a Deus. Mas temo que o recuse, vendo-o tão manchado e imundo. Se vós, porém, lho oferecerdes, não recusará certamente. Ele aprecia e recebe todas as ofertas que lhe são apresentadas por vossas mãos puríssimas. A vós, pois, ó Maria, apresento-me hoje, miserável como sou, e a vós inteiramente me consagro. Oferecei-me como coisa vossa, juntamente com Jesus, ao Eterno Pai. Rogai-lhe que, pelos méritos do Filho e por amor de vós, aceite-me e tome para si.

Ah! Mãe dulcíssima, por amor desse Filho sacrificado, ajudai-me sempre e não me abandoneis. Não permitais que eu venha um dia perder, por meus pecados, este meu amabilíssimo Redentor, hoje por vós oferecido à cruz com tanta dor. Dizei-lhe que sou vosso servo; dizei-lhe que em vós pus toda minha esperança; dizei-lhe, enfim, que me quereis salvar, e ele não poderá deixar de atender-vos. Amém.

– Rogai por nós, ó Santa e Bendita eleita de Deus.

– E fazei-nos santos e imaculados como vosso Jesus. Amém.

– Salve, Rainha, mãe de misericórdia...

– Rogai por nós, ó Virgem, Mãe e Senhora,

– Para que sejamos dignos das promessas de Cristo.

7º dia

A assunção de Maria

Não pôde certamente Maria ser afligida na morte por algum remorso de consciência, pois não fora sempre santa, pura e livre de toda a sombra de culpa atual e original?

Dela por isso foi dito: "és toda formosa, minha amiga, e não há mancha em ti" (Ct 4,7). Desde que teve o uso da razão, isto é, no primeiro instante de sua imaculada Conceição no seio de Santa Ana, começou a Virgem a amar o seu Deus com todas as veras. E assim continuou sempre, adiantando-se cada vez mais na perfeição e no amor em toda a sua vida. Todos os seus pensamentos, desejos e afetos só a Deus tinham por objeto. Não disse palavra, não fez movimento, não deu uma vista de olhos, não respirou, que não fosse por Deus e para glória sua, sem jamais se separar um momento do amor divino. Ah! Na hora feliz de sua morte lhe apareceram em torno do leito todas as suas belas virtudes, praticadas na vida: aquela sua fé tão constante; aquela sua confiança em Deus tão amoroso; aquela paciência tão forte no meio de tantas penas; aquela humildade no meio de tantos privilégios; aquela modéstia, aquela mansidão, aquela piedade para com as almas, aquele zelo da divina glória. Sobretudo apresentou-se-lhe aquela perfeita caridade para com Deus, ao lado daquela total conformidade com a vontade divina. Todas, em suma, apareceram-lhe e, consolando-a, diziam-lhe: somos obras vossas e não vos deixaremos. Nossa Senhora e nossa Mãe, nós somos filhos de vosso belo coração.

Leia, reze e medite

"Quando Jesus falava, uma mulher levantou a voz do meio da multidão e lhe disse: 'Feliz o ventre que te trouxe, e os seios que te amamentaram!' Mas ele respondeu: 'Felizes, antes, os que ouvem a palavra de Deus e a observam!'" (Lc 11,27-28).

Saudades de Maria Santíssima

Depois da Ascensão de Jesus Cristo, ficou Maria no mundo para atender à propagação da fé. Por isso a ela recorriam os discípulos do Salvador. Resolvia-lhes a Senhora as dúvidas, confortava-os nas perseguições, animava-os nos trabalhos pela glória divina e salvação das almas remidas. Muito voluntariamente se demorava na terra, entendendo ser essa a vontade de Deus para o bem da Igreja. Mas não podia deixar de sentir a pena de ver-se longe da presença e da vista de seu amado Filho, que subira ao céu. "Porque onde está vosso tesouro, aí estará também vosso coração" (Lc 12,34). Onde alguém julga estar seu tesouro e seu contentamento, aí estará fixo o amor e o desejo de seu coração. Se, pois, Maria não amava outro bem senão Jesus, estando Ele no céu, no céu estavam todos os seus desejos.

Oração

Ó dulcíssima Senhora e Mãe nossa, já deixastes a terra e chegastes a vosso reino, onde imperais como Rainha sobre todos os coros dos anjos, segundo canta a Santa Igreja. Bem sabemos que nós, pecadores, não éramos dignos de possuir-vos conosco, neste vale de lágrimas. Mas sabemos também que, no meio de vossas grandezas, não vos esquecestes de nós, miseráveis, e que, por terdes sido sublimada a tanta glória, não perdestes, antes aumentou em vós, a compaixão para com os pobres filhos de Adão. Do trono excelso em que reinais, volvei-nos, ó Maria, vossos piedosos olhos e tende compaixão de nós.

Lembrai-vos de que, ao deixar esta terra, prometestes que não nos havíeis de esquecer. Olhai para nós e socorrei-nos. Vede no meio de quantos perigos e tempestades nos achamos e acharemos até o fim de nossa vida. Pelos merecimentos de vosso bem-aventurado trânsito, alcançai-nos a santa perseverança na amizade divina, para sairmos enfim desta vida na graça de Deus. Desse modo, iremos um dia beijar também vossos pés no paraíso, unindo-nos aos espíritos bem-aventurados, para louvar-vos e cantar vossas glórias, como mereceis. Amém.

– Rogai por nós, ó Mae bendita do Redentor.

– E fazei-nos caminhar, cada dia, no caminho de jesus. Amém.

– Salve, Rainha, mãe de misericórdia...

– Rogai por nós, ó Virgem, Mãe e Senhora,

– Para que sejamos dignos das promessas de Cristo.

As dores de Maria

As dores de Maria

Duas vezes no ano, lembra-se a Igreja das Dores de Maria Santíssima: na Sexta-feira, que antecede ao domingo de Ramos, e no dia 15 de setembro. Já antes dessas solenidades, vinha o povo cristão consagrando terna lembrança às Dores da Mãe de Deus. No século XIII, a tendência geral fixou-se na celebração das Sete Dores. A Ordem dos Servitas, principalmente, fundada em 1240, muito contribuiu para propagar essa devoção, pois seus membros deviam santificar a si e aos outros pela meditação das Dores de Maria e de seu Filho. Pelo fim do século XV, era quase geral no povo cristão o culto compassivo das dores de Maria. Os poetas de vários países consagraram-lhe inúmeras poesias. O hino *Stabat Mater* dolorosa tem por autor o franciscano Jacopone da Todi (1306). A festa foi primeiramente introduzida pelo Sínodo de Colônia, em 1423, sob o título de Comemoração das Angústias e Dores da Bem-aventurada Virgem Maria, para expiação das injúrias cometidas pelos Hussitas contra as imagens sagradas. Propagou-se rapidamente, tomando o nome de festa de Nossa Senhora da Piedade. Em 1725, introduziu-a o papa Bento XII no Estado Pontifício, e em 1727 estendeu-a para a Igreja universal. Mas, porque perdia um pouco de seu valor, por estar na quaresma, Pio VII, em 1804, mandou que fosse celebrada também no terceiro domingo de setembro. Com a reforma do Breviário, por Pio X, veio a festa ter uma data fixa no dia 15 de setembro.

8º dia

A profecia de Simeão

Eis que São Simeão recebe em seus braços o Menino-Deus e prediz a Maria que aquele Filho será o objeto das contradições e perseguições dos homens. "Eis aqui está posto este Menino como alvo a que atirará a contradição: e uma espada de dor transpassará até a tua alma" (Lc 2,34-35). Disse a Virgem a Santa Matilde que a esse vaticínio se lhe mudou toda alegria em tristeza. Efetivamente, como foi revelado a Santa Teresa, a bendita Mãe sabia dos sacrifícios que seu Filho devia fazer da vida para a salvação do mundo. Mas naquele momento, de um modo mais particular e distinto, conheceu as penas e a cruel morte, reservadas a seu pobre Filho no futuro. Conheceu, então, que o havia de contradizer, e contradizer em tudo: *em sua doutrina,* porque, em vez de nele crerem, haviam-no de condenar como blasfemador, por ter dado testemunho da divindade... No excesso de seu sofrimento, chegou a suar sangue. Contradisseram e perseguiram-no, enfim, no corpo e na alma. Basta dizer que foi Ele martirizado em todos os seus membros sagrados: nas mãos, nos pés, no rosto, na cabeça, em todo o corpo, e finalmente morreu consumido pelas dores, já sem sangue e coberto de opróbrios, sobre um madeiro infame.

Leia, reze e medite

"Disse Simeão: 'Agora, Senhor, podeis deixar ir em paz vosso servo, conforme vossa palavra, porque meus olhos viram vossa Salvação, que preparastes diante de todos os povos, luz para iluminar as nações e para dar glória a Israel, vosso povo'. O pai e a mãe de Jesus estavam maravilhados com as coisas que dele se diziam. Simeão os abençoou e disse a Maria, sua mãe: 'Este menino vai ocasionar a queda e o reerguimento de muitos em Israel; ele será um sinal de contradição; a ti própria, uma espada te traspassará a alma, para que se revelem os pensamentos de muitos corações'" (Lc 2,29-35).

O tempo não mitigou os sofrimentos de Maria

O tempo, que costuma mitigar a dor dos aflitos, não pôde aliviá-la em Maria. Aumentava-lhe, pelo contrário, a aflição. Crescendo, ia Jesus mostrando cada vez mais sua beleza e amabilidade. Mas de outro lado ia também se avizinhando da morte. Com isso, cada vez mais a dor por haver de perdê-lo apertava também o coração da Mãe. Tal como a rosa que cresce por entre espinhos, crescia a Mãe de Deus em anos no maior dos sofrimentos. E como crescem os espinhos à medida que a rosa desabrocha, crescem também em Maria – rosa mística do Senhor – os penetrantes espinhos das aflições.

Oração

Ó minha bendita Mãe, não só uma espada, porém tantas quantas foram meus pecados, tenho eu acrescentado a vosso coração. Não a vós, que sois inocente, minha Senhora, mas a mim, réu de tantos delitos, são devidas as penas. Já que contudo quisestes sofrer tanto por meu amor, impetrai-me por vossos merecimentos uma grande dor de minhas culpas e a paciência necessária para sofrer os trabalhos desta vida. Por maiores que sejam, sempre serão leves em comparação dos castigos, que tenho merecido, e de meus pecados, que me têm tornado tantas vezes digno do inferno. Amém.

– Rogai por nós, ó Mãe terna e compassiva.

– Dai-nos a graça de viver a vida cheios de esperança. Amém.

– Salve, Rainha, mãe de misericórdia...

– Rogai por nós, ó Virgem, Mãe e Senhora,

– Para que sejamos dignos das promessas de Cristo.

9º dia

A fuga para o Egito

Mal ouviu Herodes que era nascido o Messias esperado, temeu loucamente que o recém-nascido lhe quisesse usurpar o trono. São Fulgêncio de Ruspe censura-lhe a loucura, dizendo: por que estás inquieto, Herodes? Esse rei, nascido agora, não vem para vencer os reis em combate. Não; Ele vem para subjugá-los de um modo admirável, morrendo por eles... Foi então que o anjo apareceu em sonhos a José com a ordem: "levanta-te, toma o menino e sua mãe, e foge para o Egito" (Mt 2,13). É isso o que se deduz das palavras do Evangelho: "E, levantando-se, José tomou consigo, ainda noite, o Menino e sua Mãe e retirou-se para o Egito". Ó Deus, disse então Maria (como contempla Santo Alberto Magno), assim deve fugir dos homens aquele que veio para salvá-los? Logo conheceu a aflita Mãe como já começava a verificar-se no Filho a profecia de Simeão: "Eis aqui está posto este Menino como alvo a que atirará a contradição" (Lc 2,34). Viu que, apenas nascido, já o perseguiam e queriam matá-lo. Que pesar para o coração de Maria.

Leia, reze e medite

"Depois que os magos partiram, um anjo do Senhor apareceu em sonho a José e lhe disse: 'Levante-se, pegue o menino e a mãe dele e fuja para o Egito. Fique lá até eu avisar, porque Herodes vai procurar o menino para matá-lo'. Levantando-se de noite, José pegou o menino e a mãe dele e partiu para o Egito. Ficou lá até a morte de Herodes, para se cumprir o que o Senhor falara pelo profeta com as palavras: 'Do Egito chamei o meu filho'" (Mt 2,13-15).

Imitação da Sagrada Família pela paciência e pelo desprendimento

Jesus e Maria passaram pelo mundo como fugitivos. Eis aí uma lição para nós. Temos de viver na terra como peregrinos, sem apegos aos bens que o mundo nos oferece, pois depressa teremos de deixá-los para passarmos para a eternidade. "Não temos aqui cidade permanente, mas procuramos a futura" (Hb 13,14). És um hóspede neste mundo; apenas o vês de passagem, acrescenta Santo Agostinho. Aprendamos com Jesus e Maria a abraçar as cruzes, porque sem elas não podemos viver neste mundo... "Toma o Menino e sua Mãe", disse o anjo a São José. Aquele que traz, com amor, esse Filho e essa Mãe em seu coração torna leves, até suaves e agradáveis todas as penas. Amemo-los portanto; consolemos Maria, acolhendo em nosso coração a seu Filho, que hoje ainda continua a ser perseguido pelos pecados dos homens.

Oração

Assim, pois, ó Maria, nem depois de vosso Filho ter sido imolado pelos homens, que o perseguiram até a morte, cessaram esses ingratos de persegui-lo com seus pecados e de afligir-vos, ó Mãe dolorosa? E eu mesmo, ó meu Deus, não tenho sido um desses ingratos? Ah! Minha Mãe dulcíssima, impetrai-me lágrimas para chorar tanta ingratidão. E, pelas muitas penas que sofrestes na viagem para o Egito, assisti-me com vosso auxílio na viagem que estou fazendo para a eternidade, a fim de que possa um dia ir amar convosco meu Salvador perseguido, na pátria dos bem-aventurados. Amém.

– Rogai por nós, ó Virgem santa e fiel.

– Conservai-nos, em cada dia, no caminho de Jesus. Amém.

– Salve, Rainha, mãe de misericórdia...

– Rogai por nós, ó Virgem, Mãe e Senhora,

– Para que sejamos dignos das promessas de Cristo.

10º dia

A perda de Jesus no Templo

Essas penas de nossa Mãe devem, primeiramente, servir de conforto às almas que se veem privadas das consolações e da suave presença do Senhor. Chorem, se quiserem, mas chorem com paz e resignação, como Maria chorou a ausência de seu Filho. Cobrem ânimo e não temam, por isso, ter perdido a graça divina. O próprio Deus disse a Santa Teresa: ninguém se perde sem o saber, e ninguém fica enganado sem querer ser enganado. Por apartar-se dos olhos da alma que o ama, não se aparta ainda o Senhor de seu coração. Esconde-se, muitas vezes, para ser procurado com maior amor e mais desejo. Mas quem quiser achar Jesus precisa procurá-lo não entre os prazeres e as delícias do mundo, porém entre as cruzes e mortificações, como

Maria. "Nós te procuramos com aflição." Aprendamos com a Virgem Maria, diz Orígenes, o modo de procurar a Jesus.

Leia, reze e medite

"Os pais de Jesus iam todos os anos a Jerusalém para a festa da Páscoa. Quando ele fez doze anos, subiram a Jerusalém, como era costume durante a festa. Passados os dias da festa, quando estavam voltando, ficou em Jerusalém o menino Jesus, sem que seus pais o notassem. Pensando que ele estivesse na comitiva, fizeram o percurso de um dia inteiro. Depois o procuraram entre os parentes e conhecidos e, não o encontrando, voltaram a Jerusalém a sua procura. Depois de três dias o encontraram no Templo, assentado no meio dos doutores, ouvindo-os e interrogando-os... 'Filho, por que você fez isso conosco? Seu pai e eu o estávamos procurando, cheios de aflição...' Jesus lhes respondeu: 'Por que me estavam procurando? Não sabiam que eu deveria estar naquilo que é de meu Pai?'... Jesus ia crescendo em sabedoria, estatura e graça, diante de Deus e dos homens" (Lc 2,41-52).

Jesus deve ser tudo para nós

Outro bem fora de Jesus não devemos procurar neste mundo. Jó não era infeliz, quando perdeu tudo quanto possuía na terra: fortuna, filhos, saúde e honras, a ponto de passar de um trono para um monturo. Como sempre, tinha a Deus consigo, e ainda assim era feliz. Perdera os dons de Deus, mas não o perdera, a Deus, escreve Santo Agostinho. Verdadeiramente infelizes são aqueles que perderam a Deus. Se Maria se lamentou da perda do Filho, por três dias, quanto mais deveriam os pecadores chorar a perda da graça divina. Pois não lhes diz o Senhor: "não sois meu povo e eu não quero ser vosso Deus? (Os 1,9). Não é pecado um rompimento entre Deus e a alma? "Vossas iniquidades vos separam de vosso Deus" (Is 59,2). Ainda que os pecadores possuíssem todos os bens da terra, tendo perdido a Deus, tudo o mais outra coisa não é que "fumaça e aflição", como confessou Salomão (Pr 1,14). Como é grande a infelicidade desses pobres obcecados! Eles, afirma Vulgato Agostinho: perdem um boi e não deixam de ir procurá-lo; perdem um jumento e não têm repouso. Entretanto descansam, comem e bebem, tendo perdido a Deus, o Sumo Bem!

Oração

Ó Virgem bendita, por que assim vos afligis, buscando vosso Filho, como se não soubésseis onde Ele está? Não vos recordais que está em vos-

so coração? Não sabeis que Ele se compraz entre os lírios? Vós mesma o dissestes: "O meu amado é para mim e eu sou para ele, que se apascenta entre as açucenas" (Ct 2,16). Vossos pensamentos e afetos, tão humildes, tão puros, tão santos, são outros lírios que convidam o Divino Esposo a habitar em vós.

Ah! Maria, vós suspirais por Jesus, vós que não amais senão a Jesus! Eu é que devo suspirar, eu e tantos pecadores que o não amamos e o temos perdido por nossas ofensas. Minha Mãe amabilíssima, se por minha culpa vosso Filho ainda não tornou a minha alma, fazei que eu o ache de novo. Bem sei que Ele se faz achar por quem o busca. Mas fazei que eu o procure como devo. Vós sois a porta pela qual se chega a Jesus, fazei que também eu chegue a Ele por meio de vós. Amém.

– Rogai por nós, ó Senhora do Reino e da paz.

– Inspirai nossa vida e nossas atitudes cristãs. Amém.

– Salve, Rainha, mãe de misericórdia...

– Rogai por nós, ó Virgem, Mãe e Senhora,

– Para que sejamos dignos das promessas de Cristo.

11º dia

O encontro com Jesus no caminho do Calvário

Ah! Virgem Santíssima, aonde ides? Ao Calvário? Tereis ânimo de ver pregado à cruz aquele que é vossa vida? Moisés falou como um profeta: "E a tua vida estará como suspensa diante de ti" (Dt 28,66).

Faz São Lourenço Justiniano dizer a Jesus: Ó minha Mãe, não venhas comigo; aonde vais? Aonde pretendes ir? Se me acompanhares, serás atormentada pelo meu e eu pelo teu suplício! Entretanto, a amorosa Mãe não quer abandonar a seu Jesus, embora o ver morrer lhe deva causar acerbíssima dor. Adiante vai o Filho, e atrás segue a Mãe para ser crucificada com Ele, diz Guilherme, abade.

Leia, reze e medite

"Maltratado, meu servo deixou-se humilhar e não abriu a boca; como cordeiro levado ao matadouro, como ovelha muda diante dos tosquiadores, não abriu a boca. Com opressão e sentença injusta foi eliminado; quem se aflige por sua sorte? Sim, foi cancelado da terra dos vivos, pela iniquidade de meu povo foi ferido de morte" (Is 53,7-8).

Maria segue Jesus até ao Calvário

Escreve São João Crisóstomo: até das feras nós nos compadecemos. Víssemos uma leoa acompanhando seus leõezinhos à morte, mesmo dessa fera teríamos compaixão. E não nos apiedaremos de Maria, que vai seguindo o Cordeiro Imaculado, levado ao suplício? Participemos, pois, de sua dor; com ela acompanharemos seu Divino Filho, levando pacientemente as cruzes que nos manda o Senhor. Pergunta São João Crisóstomo: por que razão quis Jesus Cristo sofrer sozinho nas outras dores, e somente nesta aceitar que o ajudasse o Cirineu a levar a cruz? E responde: para ensinar-nos que só a cruz de Jesus não bastará para nossa salvação, se não carregarmos também a nossa com resignação até a morte.

Oração

Ó minha Mãe dolorosa, pelo merecimento da dor que sentistes, vendo vosso amado Jesus conduzido à morte, impetrai-me a graça de também levar com paciência as cruzes que Deus me envia. Feliz serei, se souber acompanhar-vos com minha cruz até a morte. Vós e Jesus, que éreis inocentes, carregastes uma cruz tão pesada, e eu, pecador, que tenho merecido o inferno, recusarei carregar a minha? Ah! Virgem imaculada, de vós espero socorro para sofrer com paciência todas as cruzes. Amém.

– Rogai por nós, ó Mãe sofredora e solidária.

– Ajudai-nos a ser mais amorosos e solidários, mais irmãos e compassivos. Amém.

– Salve, Rainha, mãe de misericórdia...

– Rogai por nós, ó Virgem, Mãe e Senhora,

– Para que sejamos dignos das promessas de Cristo.

12º dia

A morte de Jesus

Aqui temos de contemplar uma nova espécie de martírio. Trata-se de uma mãe condenada a ver morrer diante de seus olhos, no meio de bárbaros tormentos, um Filho inocente e diletíssimo. "Estava em pé, junto à cruz de Jesus, sua Mãe" (Jo 19,25). É desnecessário dizer outra coisa do martírio de Maria, quer com isso declarar São João; contemplai-a junto da cruz, ao lado de seu Filho moribundo e vede se há dor semelhante a sua dor. Demoraremo-nos a considerar esta quinta espada de dor, que transpassou o coração de Maria: a morte de Jesus.

Quando nosso extenuado Redentor chegou ao alto do Calvário, despojaram-no os algozes de suas vestes, transpassaram-lhe as mãos e os pés com cravos, não agudos, mas obtusos (segundo a observação de um autor), para maior aumento de suas dores, e pregaram-no à cruz. Tendo-o crucificado, elevaram e fixaram a cruz e o abandonaram à morte. Abandonaram-no os algozes, mas não o abandonou Maria. Antes ficou mais perto da cruz para lhe assistir à morte

Leia, reze e medite

"Junto à cruz de Jesus estavam de pé sua mãe, a irmã de sua mãe, Maria, mulher de Cléofas, e Maria Madalena. Quando Jesus viu sua mãe e perto dela o discípulo que amava, disse a sua mãe: 'Mulher, eis aí teu filho'. Depois disse ao discípulo: 'Eis aí tua mãe'. E desta hora em diante, o discípulo a levou para sua casa" (Jo 19,25-27).

Maria ao pé da cruz é nossa Mãe espiritual

Pasmavam as pessoas que então consideravam essa Mãe, diz Simeão Fidato de Cássia, por verem-na quedar-se silenciosa, sem uma queixa ou lamento, no meio de tamanha dor. Mas, se os lábios guardavam silêncio, não o guardava contudo o coração, pois a Virgem não cessava de oferecer à Divina Justiça a vida do Filho pela nossa salvação. Por aí vemos o quanto cooperava pelos seus sofrimentos para fazer-nos nascer à vida da graça. E se nesse mar de mágoas, que era o coração de Maria, entrou algum alívio, então este único consolo foi certamente o animador pensamento de que, por suas dores, cooperava para nossa eterna salvação. E a Santíssima Virgem continua e continuará sempre a exercer este ofício de Mãe desvelada.

Oração

Ó aflitíssima entre todas as mães, morreu, pois, vosso Filho tão amável e que tanto vos ama. Chorai, que bem razão tendes para chorar. Quem poderia vos consolar jamais? Só pode dar-vos algum lenitivo o pensar que Jesus com sua morte venceu o inferno, abriu aos homens o paraíso, que lhes estava fechado, e fez a conquista de tantas almas. Do trono da cruz, Ele reinará sobre tantos corações que, pelo amor vencidos, o servirão com amor. Dignai-vos, entretanto, ó minha Mãe, consentir que me conserve a vossos pés, chorando convosco, já que eu, pelos meus grandes pecados, tenho mais razão de chorar que vós.

Ah! Mãe de Misericórdia, em primeiro lugar pela morte de meu Redentor, e depois pelo merecimento de vossas dores, espero o perdão e a salvação eterna. Amém.

– Rogai por nós, ó Mãe bendita e fiel do Redentor.

– Fazei-nos também misericordiosos e compassivos no amor. Amém.

– Salve, Rainha, mãe de misericórdia...

– Rogai por nós, ó Virgem, Mãe e Senhora,

– Para que sejamos dignos das promessas de Cristo.

13º dia

O descimento de Jesus da Cruz

A atribulada Senhora receava, entretanto, que fizessem outras injúrias a seu amado Filho. Pediu a José de Arimateia que lhe obtivesse, por isso, de Pilatos o corpo de Jesus, para que ao menos depois de morto o pudesse preservar dos ultrajes dos judeus. Foi José ter com Pilatos, expôs-lhe a dor e o desejo da aflita Mãe... Eis que descem o Salvador da cruz em que morrera! Ó Virgem sacrossanta, destes, com tanto amor, vosso Filho ao mundo e vede como ele vo-lo entrega! Por Deus, exclama a Senhora, em que estado, ó mundo, me entregas meu amado Filho! Era Ele o meu querido, branco e rosado (Ct 5,10); e tu mo entregas negro pelas contusões e rubro não pela cor, mas pelas chagas de que o cobriste?! Era belo e ei-lo agora desfigurado!

Encantava com seu aspecto, mas causa horror agora a quem o vê! Quantas espadas feriram a alma dessa Mãe, quando em seus braços depuseram o Filho descido da cruz! Diz um autor sob o nome de São Boaventura. Contemplemos o indizível sofrimento de uma mãe à vista de seu filho sem vida.

Leia, reze e medite

"Depois disso, José de Arimateia, que era discípulo de Jesus, mas ocultamente, por medo dos judeus, pediu a Pilatos autorização para tirar o corpo de Jesus. Pilatos permitiu. Foi, pois, e tirou o corpo de Jesus. Acompanhou-o Nicodemos (aquele que anteriormente fora de noite ter com Jesus), levando umas cem libras de uma mistura de mirra e aloés" (Jo 19,38-39).

Queixas de Maria sobre os pecadores

Assim então Maria se queixou de nós. E, se agora pudesse sofrer, que diria? Que pena sentiria, vendo que os homens, mesmo após a morte de Jesus, continuam a maltratá-lo e crucificá-lo com seus pecados? Nunca mais atormentemos, pois, essa Mãe aflita! Se pelo passado a afligimos com nossas culpas, façamos agora o que ela nos diz. Mas que é que nos diz? "Tomai isto a sério, vós prevaricadores" (Is 46,8). Pecadores, voltai ao ferido Coração de Jesus; arrependei-vos, que Ele vos acolherá...

Ó mundo, continua Maria, "eis que agora estais no tempo, no tempo de amor" (Ez 16,18). Meu Filho morreu para salvar-vos; já não é para vós um tempo de temor, mas de amor. É tempo de amardes aquele que tanto quis sofrer, para provar quanto vos ama. O Coração de Jesus foi ferido, diz São Boaventura, a fim de nos mostrar pela chaga visível seu amor invisível. E alhures o Santo faz Maria dizer: Se meu Filho quis que lhe fosse aberto o lado para dar-vos seu coração, é justo que lhe deis também o vosso.

Se, portanto, quereis, ó filhos de Maria, achar lugar no Coração de Jesus, sem receio de repulsa, ide a Ele juntamente com Maria, por quem alcançareis tal graça.

Oração

Ó Virgem dolorosa, ó alma grande pelas virtudes e também pelas dores, pois que ambas nascem do grande incêndio do amor que tendes a Deus, o único objeto amado por vosso coração. Ah! Minha Mãe, tende piedade de mim, que não tenho amado a Deus e tanto o tenho ofendido. Vossas dores me enchem de grande confiança e me fazem esperar o perdão. Mas isso não me basta; quero amar a meu Senhor. E quem me pode alcançar essa graça melhor que vós, que sois a Mãe do belo amor? Ah! Maria, a todos consolastes; consolai também a mim. Amém.

– Rogai por nós, ó Virgem e Senhora das Dores.

– Fortalecei nossa fé e nossa esperança em nossas horas difíceis. Amém.

– Salve, Rainha, mãe de misericórdia...

– Rogai por nós, ó Virgem, Mãe e Senhora,

– Para que sejamos dignos das promessas de Cristo.

14º dia

A sepultura de Jesus

Levam o Sagrado Corpo à sepultura. Forma-se o cortejo fúnebre, e os discípulos acompanham-no, juntamente com as santas mulheres. Entre as últimas, caminha a Mãe dolorosa, levando também ela o Filho à sepultura. Ter-se-ia a Senhora de boa mente sepultado viva com o Filho... Mas, esta não sendo a divina vontade, acompanhou resignada o sacrossanto corpo de Jesus ao sepulcro... depositaram também os cravos e a coroa de espinhos. No momento de fechá-lo com a pedra, voltaram-se os discípulos para Maria com as palavras: Eia, Senhora, vai ser fechado o túmulo. Ânimo! Contemplai vosso Filho pela última vez e dai-lhe um derradeiro adeus! Assim, pois, ó dileto Filho, – teria então dito talvez a Senhora, – assim, pois, não mais te tornarei a ver? Recebe com meu último olhar o último adeus de tua aflita Mãe; recebe meu coração, que deixo contigo no sepulcro!... Maria deixa seu coração sepultado com Jesus, porque lhe é Jesus o único tesouro. "Porque onde está vosso tesouro, aí está também vosso coração" (Lc 12,34). E nós onde sepultaremos o nosso? Nas criaturas, talvez? No desprezível pó? Por que não em Jesus?

Leia, reze e medite

"Tomaram o corpo de Jesus e envolveram-no em panos com os aromas, como os judeus costumam sepultar. No lugar em que ele foi crucificado havia um jardim, e no jardim, um sepulcro novo, em que ninguém ainda fora depositado. Foi ali que depositaram Jesus, por causa da preparação dos judeus, pois o sepulcro ficava perto." (Jo 19,40-42)

Maria despede-se da sepultura do Filho

Tais foram as despedidas de Maria junto ao sepulcro do Filho, de onde depois voltou a casa. Triste e aflita ia a pobre Mãe, diz Pseudo-Bernardo, despertando lágrimas em quantos a viam passar... passou a Virgem pela cruz, banhada ainda com o sangue de seu Jesus. Foi a primeira a adorá-la com as palavras: Ó Cruz, eu vos beijo e vos adoro; agora não sois mais um madeiro infame, mas o trono do amor e o altar da misericórdia, consagrado com o sangue do divino Cordeiro, sacrificado em vossos braços pela salvação do mundo... Recordai os abraços dados ao Filho no presépio de Belém, os colóquios durante tantos anos, os mútuos afetos, os olhares cheios de amor, e as palavras de vida eterna saídas daqueles lábios divinos... Filha, dizei-me, onde está vosso dileto? Quem no-lo arrebatou?... Deixai-me chorar, ó Senhora, porque sou eu o culpado e vós sois inocente! ... Deixai que eu chore convosco. Ela chora de amor; chorai vós de dor por vossos pecados.

Oração

Ó minha Mãe dolorosa, não vos quero deixar chorando sozinha. Quero acompanhar-vos com minhas lágrimas. Esta graça hoje vos peço: obtende-me uma contínua memória com uma terna devoção à Paixão de Jesus e a vossa, para que os dias que me restam de vida não me sirvam senão para chorar vossas dores, ó minha Mãe, e as de meu Redentor. Essas vossas dores, espero eu, na hora de minha morte, hão de dar-me coragem, força e confiança para não desesperar à vista do muito que ofendi a meu Senhor. E elas hão de im-

petrar-me o perdão, a perseverança e o paraíso, onde espero depois alegrar-me convosco e cantar as misericórdias infinitas de meu Deus, por toda a eternidade. Assim o espero, assim seja. Amém.

– Rogai por nós, Mãe forte e fiel, dolorosa e esperançosa.

– Sede nosso refúgio nas horas amargas da vida. Amém.

– Salve, Rainha, mãe de misericórdia...

– Rogai por nós, ó Virgem, Mãe e Senhora,

– Para que sejamos dignos das promessas de Cristo.

As virtudes de Maria

As virtudes de Maria

Quem ama se assemelha ou procura assemelhar-se à pessoa amada, segundo um afamado provérbio. Daí a exortação do Pseudo-Jerônimo para mostrarmos nosso amor a Maria pela imitação de suas virtudes, sendo esse o maior obséquio que lhe podemos ofertar. Segundo Ricardo de São Lourenço, são e podem chamar-se verdadeiros filhos de Maria somente aqueles que buscam copiar-lhe em tudo a vida. Esforce-se, pois, o filho (conclui o autor da Salve-Rainha) por imitar a Mãe, se deseja seus favores. Vendo-se ela honrada como Mãe, como filho o tratará e favorecerá. E verdade, poucas particularidades registram os evangelistas, quando falam das virtudes de Maria. Entretanto, chamando-a cheia de graças nos fazem saber, bem claramente, que teve todas as virtudes em grau heroico. De modo que, diz Santo Tomás, enquanto os demais santos sobressaíam, cada um em alguma virtude particular, foi a Bem-aventurada Virgem extraordinária em todas e de todas nos foi dada como modelo. É idêntico o testemunho de Santo Ambrósio: sua vida é uma escola de virtudes para todos. Exorta-nos por isso: seja-vos como uma imagem e luminoso modelo a virgindade e a vida de Maria. Nela tendes exemplos para vossa vida, mostrando-vos o que deveis corrigir ou evitar ou guardar.

15º dia

A humildade

De todas as virtudes é a humildade o fundamento e a guarda, lê-se com razão nos sermões sobre a Salve-Rainha. Sem humildade, não há virtude que possa existir em uma alma. Possua embora todas as virtudes, fugiriam todas ao lhe fugir a humildade. Pelo contrário, Deus tão amante é da humildade, que se apressa em correr onde a vê, escreve São Francisco de Sales a Santa Joana de Chantal.

No mundo, era desconhecida essa virtude tão bela e necessária. Mas, para ensiná-la, veio à terra o próprio Filho de Deus, exigindo que, principalmente nesse particular, lhe procurássemos imitar o exemplo. "Aprendei de mim, porque sou manso e humilde de coração" (Mt 11,29). E, assim como em todas as virtudes, foi Maria a primeira e mais perfeita discípula de Jesus Cristo, o foi também na humildade. Por ela mereceu ser exaltada sobre todas as criaturas. Essa foi a virtude em que, desde pequena, se singularizou.

Leia, reze e medite

"Disse então Maria: 'Minha alma engrandece o Senhor, e meu espírito se alegra em Deus, meu Salvador, porque Ele olhou para a pobreza de sua serva. Por isso, daqui em diante, todas as gerações dirão que sou feliz! O Todo-Poderoso fez por mim grandes coisas. Santo é seu nome. De geração em geração se estende sua misericórdia sobre aqueles que o temem. Manifestou a força de seu braço e dispersou os homens de coração orgulhoso. Derrubou os poderosos de seus tronos e elevou os humildes. Enriqueceu de bens os famintos e despediu os ricos de mãos vazias. Socorreu seu servo Israel, lembrando-se da sua misericórdia, conforme tinha prometido a nossos pais, a Abraão e a seus filhos, para sempre'" (Lc 1,46-55).

Foi grande a humildade de Maria

Para nossa natureza corrompida pelo pecado, não há talvez, como avisa São Gregório Nisseno, virtude mais difícil de praticar que a humildade. Entretanto, não há remédio: nunca poderemos ser verdadeiros filhos de Maria, se não formos humildes. De onde então as palavras de São Bernardo: "Se não podes imitar a humilde Virgem em sua pureza, imita ao menos a pura Virgem em sua humildade. Ela aborrece os soberbos e só chama a si os humildes. Todo o que é simples venha a mim (Pr 9,4). Oh! Como são queridas de Maria as almas humildes! Eis a razão por que diz o autor dos sermões sobre a Salve-Rainha: a Virgem Santíssima conhece e ama todos os que a amam; está ao lado dos que a invocam, principalmente quando se lhe assemelham pela pureza e humildade... Assim, pois, ó minha Rainha, não poderei ser vosso filho, se não for humilde. Não vedes, porém, que meus pecados, depois de me terem tornado ingrato a meu Senhor, tornaram-me também soberbo? Ó minha Mãe, remediai a este mal, pelos merecimentos de vossa humildade, impetrai-me a graça de ser humilde e tornar-me vosso filho. Amém.

Oração

Maria, minha esperança, uni-me a Jesus e fazei que eu passe minha vida unido a ele, e unido com ele morra, para assim chegar um dia ao céu, onde já não existirá o medo de me ver separado de seu santo amor.

Ó Maria, minha esperança, vosso Filho vos ouve, pedi-lhe por mim e obtende-me a graça de amá-lo perfeitamente. Eu confio muito em vossa intercessão. Minha Rainha, fazei que eu ame a Jesus Cristo e também a vós, minha mãe e minha esperança. Mãe de Deus, Maria, pedi a Jesus por mim e fazei-me santo. Acrescentai este prodígio a tantos outros concedidos por vós: mudar os pecadores em santos. Maria, refúgio dos pecadores, Mãe de meu Salvador, ajudai a um pecador que deseja amar a Deus e se recomenda a vós. Socorrei-me pelo amor que tendes a Jesus Cristo. Amém.

– Rogai por nós, ó Mãe do Salvador e Senhora do Céu.

– Guardai-nos em vosso amor tão perfeito e fazei-nos santos e santas de vosso Jesus. Amém.

– Salve, Rainha, mãe de misericórdia...

– Rogai por nós, ó Virgem, Mãe e Senhora,

– Para que sejamos dignos das promessas de Cristo.

16º dia

A caridade para com Deus

A mãe de nosso Emanuel em todo sentido praticou as virtudes com consumada perfeição. Quem como ela cumpriu o preceito de amar a Deus de todo o coração? Tão intenso era-lhe o incêndio do amor divino, que não restava lugar para a menor imperfeição. De tal modo o amor divino feriu a alma de Maria, observa São Bernardo, que não lhe deixou parte alguma que não fosse ferida de amor. Deste modo, pois, cumpriu a Senhora perfeitamente o primeiro preceito divino. Bem podia dizer de si: o meu amado é para mim, e eu para ele (Ct 2,9). Até os serafins, exclama Ricardo, podiam descer do céu para aprender no coração de Maria a maneira de se amar a Deus... Tanto o abrasou o amor divino, que nada de terreno lhe prendia as inclinações. Ardia, completa e totalmente, no amor divino e dele estava inebriado. Sobre esse amor lê-se nos Cânticos: seus abrasamentos são abrasamentos de fogo, chamas do Senhor. Fogo e chamas tão somente era, pois, o coração de Maria.

Leia, reze e medite

"Que o amor de vocês seja sincero, detestando o mal e aderindo ao bem; que o amor fraterno torne vocês unidos pela afeição mútua, cada qual considerando os outros como mais merecedores. Sejam esforçados, sem preguiça, fervorosos de espírito, a serviço do Senhor. Que a esperança os conserve alegres; sejam pacientes na tribulação e perseverantes na oração; atendam às necessidades do povo santo de Deus, pratiquem com empenho a hospitalidade. Abençoem os que perseguem vocês; abençoem e não amaldiçoem. Alegrem-se com os que se alegram, chorem com os que choram. Tenham a mesma estima por todos, sem procurar grandezas, mas sejam solidários com os humildes" (Rm 12,9-16).

Maria, ama tanto a Deus

Maria não tem maior desejo do que ver amado seu dileto Filho, que é Deus. Pergunta Novarino por que razão a Santíssima Virgem rogava aos anjos, com a esposa dos Cânticos, que dessem parte ao Senhor do grande amor que lhe consagrava? "Eu vos conjuro, filhas de Jerusalém, que, se encontrardes o meu amado, lhe façais saber que estou enferma de amor" (Ct 5,8). Por acaso não conhecia Deus seu amor? Por que tem ela tanto empenho em mostrar-lhe a chaga que ele mesmo abriu? E Novarino responde que desse modo a Mãe de Deus queria patentear seu amor, não a Deus, mas a nós mesmos, para nos ferir com o amor divino, assim como já estava por ele ferida. Como é toda fogo para amar a Deus, a todos os que a amam e dela se aproximam inflama e torna semelhantes a si mesma, observa São Boaventura. Chama-lhe, por isso, Santa Catarina de Sena a *portadora do fogo* do divino amor. Portanto, se nós também queremos arder nessa chama bem-aventurada, procuremos sempre estar junto de nossa Mãe, com as orações e os afetos.

Oração

Ó Maria, Rainha do amor, a mais amável, a mais amada e a mais amante de todas as criaturas. Ah! Minha Mãe! Vós ardestes sempre no amor de Deus, dignai-vos, pois, conceder-me ao menos uma centelha desse amor. Vós pedistes a vosso Filho por aqueles esposos, a quem faltava o vinho. E não pedireis por nós, a quem falta o amor de

Deus, que somos tão obrigados a ter? Dizei a Jesus: eles não têm amor. É só o que vos pedimos. Ó minha Mãe, pelo amor que tendes a Jesus, atendei-nos, rogai por nós. Amém.

– Rogai por nós, ó Mãe plena de amor e de bondade.

– Confirmai-nos e sustentai-nos no caminho de Jesus. Amém.

– Salve, Rainha, mãe de misericórdia...

– Rogai por nós, ó Virgem, Mãe e Senhora,

– Para que sejamos dignos das promessas de Cristo.

17º dia

A caridade para com o próximo

O amor para com Deus e para com o próximo nos é imposto pelo mesmo preceito: "e nós temos de Deus este mandamento que o que ama a Deus ame também seu irmão" (1Jo 4,21). Ora, como nunca houve, nem haverá, quem ame a Deus mais do que Maria, tão pouco nunca houve, nem haverá, quem mais do que ela ame ao próximo.

Passou Maria uma vida tão cheia de caridade que socorria aos necessitados, ainda quando não lhe pediam solícito auxílio. Assim o fez, por exemplo, nas bodas de Caná. Com as palavras "Eles não têm vinho", rogou ao Filho que livrasse milagrosamente os esposos do inevitável vexame. Quão pressurosa era, quando se tratava de socorrer ao próximo! Quando, movida pelo dever de caridade, foi assistir Isabel, diz o Evangelho que então "teve pressa em passar pelas montanhas". Mais brilhante prova dessa grande caridade não nos pôde dar, do que oferecendo seu Filho à morte pela nossa salvação. Tanto amou o mundo, que, para salvá-lo, entregou à morte Jesus, seu Filho Unigênito, diz um texto atribuído a São Boaventura. De onde assim lhe fala Santo Anselmo: "Ó bendita entre as mulheres, tu excedes aos anjos em pureza e aos santos em compaixão".

Leia, reze e medite

"Tenham em vocês os mesmos sentimentos de Cristo Jesus: apesar de sua condição divina, Ele não se apegou ciosamente a sua igualdade com Deus. Ao contrário, aniquilou-se a si mesmo e assumiu a condição de escravo, tornando-se semelhante aos homens. Por seu aspecto, reconhecido como homem, humilhou-se mais ainda, fazendo-se obediente até a morte, e morte em uma cruz. Por isso Deus o elevou acima de tudo e lhe deu o Nome que está acima de todo nome, de modo que ao Nome de Jesus tudo se ajoelhe, no céu, na terra e na mansão dos mortos, e toda língua proclame que Jesus Cristo é o Senhor, para a glória de Deus-Pai" (Fl 2,5-11).

Maria está no céu, mas não diminuiu seu amor por nós

Para captar a estima de Maria, melhor meio não há, diz São Gregório Nazianzeno, do que usar de caridade para com o próximo. Exorta-nos o Senhor: sede misericordiosos, assim como também vosso Pai é misericordioso (Lc 6,36). Assim parece que Maria diz também a seus filhos: sede misericordiosos, como também vossa Mãe é misericordiosa. E é certo que Deus e Maria usarão conosco da mesma caridade que usarmos com nosso próximo. "Dai aos pobres, e dar-se-vos-á... Porque com aquela mesma medida com que tiverdes medido, se vos há de medir a vós" (Lc 6,38). Insiste, pois, São Metódio: dai aos pobres e recebereis o paraíso em troca. Escreveu, igualmente, o apóstolo que a caridade para com o próximo nos torna felizes nesta e na outra vida. "A piedade, porém, a tudo é útil, abrangendo a promessa da vida presente e da futura" (1Tm 4,8). Lemos no livro dos Provérbios: "o que se compadece do pobre dá seu dinheiro a juros ao Senhor" (19,17). Explicando essa passagem, diz São João Crisóstomo: quem ajuda ao pobre tem a Deus por devedor.

Oração

Ó Mãe de misericórdia, sois cheia de caridade para com todos: não vos esqueçais de minhas misérias. Vós bem as vedes. Encomendai-me àquele Deus, que nada vos recusa. Obtende-me a graça de poder imitar-vos na santa caridade para com Deus e para com o próximo. Amém.

– Rogai por nós, Ó Mãe do terno e eterno amor.

– Sede para nós Mãe e Modelo de vida e de amor. Amém.

– Salve, Rainha, mãe de misericórdia...

– Rogai por nós, ó Virgem, Mãe e Senhora,

– Para que sejamos dignos das promessas de Cristo.

18º dia

A fé

A bem-aventurada Virgem, assim como é Mãe do amor e da esperança, também é Mãe da fé. "Eu sou a Mãe do belo amor, do temor e do conhecimento e da santa esperança" (Eclo 24,24). Acertadamente tal se chama, diz São Ireneu, porque o dano que Eva, com sua incredulidade, causou, Maria o reparou com sua fé. Palavra essa que Tertuliano confirma, dizendo: Eva deu crédito à serpente, em oposição à palavra de Deus e com isso trouxe a morte; nossa Rainha, ao invés, crendo na palavra do anjo, segundo a qual devia ser Mãe do Senhor e permanecer virgem, gerou ao mundo a salvação. De acordo está com isso a seguinte sentença, atribuída a Santo Agostinho: dando Maria seu consentimento à Encarnação do Verbo, abriu aos homens o paraíso por sua fé... Por causa desta fé, proclamou-a Isabel bem-aventurada: "E bem-aventurada tu, que creste, porque se cumprirão as coisas que da parte do Senhor te foram ditas" (Lc 1,45). Porque abriu seu coração à fé em Cristo, é Maria mais bem-aventurada do que por haver trazido no seio o corpo de Jesus Cristo.

Leia, reze e medite

"De que adianta alguém dizer que tem fé, se não tiver as obras? Será que a fé poderia salvá-lo? Se um irmão ou uma irmã estiverem nus e sem o alimento diário, e alguém de vocês lhes disser: ´Vão em paz, aqueçam-se e comam bastante!' — sem lhes dar o necessário ao corpo —, de que valeriam suas palavras? Assim também a fé, se não estiver acompanhada pelas obras, está absolutamente morta. Mas alguém poderá dizer: 'Você tem a fé e eu tenho as obras!' Mostre-me, então, sua fé sem as obras, mas eu, é pelas obras que lhe mostrarei a minha fé. Você acredita que só existe um Deus? Muito bem! Os demônios também acreditam e tremem" (Tg 2,14-19).

É bom imitarmos Maria na fé

Mas imitá-la como? A fé ao mesmo tempo é dom e virtude. É dom de Deus, enquanto é uma luz na alma. E virtude, enquanto ao exercício que dela faz a alma. Assim a fé nos deve servir de norma, não só para crer, senão também para agir. Por isso, diz São Gregório: quem pôs a vida de acordo com a fé, esse crê de verdade. E escreve Santo Agostinho: Tu me dizes: eu creio; procede então segundo essa palavra e de fato estás crendo. A prova de uma fé viva é viver conforme o que se crê. "O meu justo vive da fé" (Hb 10,38). Assim foi a vida da Bem-aventurada Virgem, bem diferente da de muitos que vivem de modo oposto aos que creem. Destes é morta a fé, como diz São Tiago: "Porque assim como o corpo sem o espírito está morto, morta é a fé, sem as obras"... Exorta-nos Santo Agostinho a vermos as coisas com olhos cristãos, isto é, à luz da fé. Santa Teresa dizia que todos os pecados nascem da falta de fé. Peçamos, pois, à Santíssima Virgem que, pelos merecimentos de sua fé, alcance-nos uma fé viva. Senhora, aumentai nossa fé!

Oração

Ó minha Senhora e Rainha, Mãe dos Anjos e de todos os homens e mulheres, guiai nossa vida e iluminai nossa existência, pois sois a Mãe do Senhor do céu e da terra. Quem poderá viver sem a luz do amor, da misericórdia divina, que vós trou-

xestes ao mundo, Jesus Cristo, nosso Redentor? Só os incautos, ó Mãe, podem viver como se nada existisse além deles mesmos. Senhora e Mãe da fé, que é Jesus, aumentai nossa fé. Amém.

– Rogai por nós, ó Senhora da vida e da fé.

– Sede nossa luz para alcançarmos Jesus, nosso Redentor. Amém.

– Salve, Rainha, mãe de misericórdia...

– Rogai por nós, ó Virgem, Mãe e Senhora,

– Para que sejamos dignos das promessas de Cristo.

19º dia

A esperança

Da fé nasce a esperança, pois Deus nos ilumina com a fé, fazendo-nos conhecer sua bondade e suas promessas, para que nos elevemos pela esperança ao desejo de possuí-lo. Possuindo Maria a virtude da fé por excelência, teve também, por excelência, a virtude da esperança. Bem podia dizer com Davi: para mim a felicidade é apegar-me a Deus, pôr no Senhor Deus minha esperança (Sl 22,28). Maria foi a fiel esposa do Espírito Santo, aplaudida nos Cânticos: "quem é esta que sobe do deserto inundando delícias, e firmada sobre seu amado?" (8,5). Sobre o texto diz o Cardeal Algrino: "Maria foi sempre e totalmente desapegada dos afetos do mundo, que lhe passava por um deserto. Não confiava nem nas criaturas, nem nos próprios merecimentos, mas só contava com a graça divina, na qual estava toda a sua confiança. E assim se adiantou cada vez mais no amor de seu Deus".

Leia, reze e medite

"Agora que Deus nos tornou justos por meio da fé, estamos em paz com Deus por obra de nosso Senhor Jesus Cristo; pois, por meio dele, fomos introduzidos nesta situação de graça, na qual estamos firmes, e nos orgulhamos da esperança de alcançarmos a glória de Deus. Mais ainda: nós nos orgulhamos até dos sofrimentos, sabendo que o sofrimento produz firmeza; a firmeza traz a aprovação de Deus; e esta aprovação faz nascer a esperança; e a esperança não decepciona, porque o amor que Deus nos tem foi derramado em nossos corações pelo Espírito Santo que ele nos deu" (Rm 5,1-5).

Grande era a confiança de Maria em Deus

Preferiu abandonar-se à Providência divina, na certeza de que o próprio Deus viria defender-lhe a inocência e a reputação.

Provou ainda sua confiança em Deus quando, próxima ao parto, viu-se em Belém, expulsa até da hospedaria dos pobres e reduzida a dar à luz em uma estrebaria. "E o reclinou em uma manjedoura, porque não havia lugar para eles na estalagem" (Lc 2,7). Nem a menor queixa lhe escapou dos lábios. Abandonou-

-se, pelo contrário, completamente nas mãos de Deus e confiou que então a assistiria nesse transe.

Igual confiança mostrou também na Providência quando São José a avisou de que era necessário fugir para o Egito. Ainda na mesma noite, partiu para a longa e penosa viagem a um país desconhecido, sem provisões, sem dinheiro e sem outro acompanhamento senão o do Menino Jesus e de seu pobre esposo. "E levantando-se, José tomou consigo, ainda noite, o Menino e sua Mãe e retirou-se para o Egito" (Mt 2,14).

Oração

Ó bela e amável Senhora dos Anjos e dos Santos, quem poderá resistir ao amor do Senhor, que vem a nosso encontro com a força da eternidade? Vós que compreendestes o belo desígnio divino que nos trouxe Jesus e dele participastes, fazei-nos também instrumentos do Reino do Céu. Senhora, já compreendemos bastante que sem Deus não somos nada, mas essa verdade ainda não alcançou nosso coração. Precisamos de vossa força maternal, para alcançarmos mais depressa o mesmo bem que vós já alcançastes: a vida vivida conforme a vontade divina. Amém.

– Rogai por nós, ó Mãe da fé e da vida.

– Firmai nossos passos no caminho do Senhor, nosso Salvador. Amém.

– Salve, Rainha, mãe de misericórdia...

– Rogai por nós, ó Virgem, Mãe e Senhora,

– Para que sejamos dignos das promessas de Cristo.

20º dia

A castidade

Depois da queda de Adão, rebelaram-se os sentidos contra a razão, e não há para o homem mais difícil virtude a praticar do que a castidade. Conforme o Pseudo-Agostinho, por ela luta-se todos os dias, mas raramente se ganha a vitória. Mas o Senhor nos deu em Maria um grande modelo dessa virtude. Ela, com razão, é chamada Virgem das virgens, como lemos em Santo Alberto; e isso porque sem conselho, nem exemplo de outros, foi a primeira a oferecer sua virgindade a Deus, dando-lhe assim as outras virgens que a imitaram. Predisse-o Davi com as palavras: virgens que te seguem serão conduzidas até o rei...; entram no palácio do rei (Sl 44,15-16). Sem conselho nem exemplo, digo eu, firmado em São Bernardo. Ó Virgem –

pergunta o Santo – quem te ensinou a agradar a Deus pela virgindade, levando na terra uma vida angélica? Ah! Torna o Pseudo-Jerônimo, certamente Deus escolheu para sua Mãe esta Virgem puríssima, para que servisse a todos de exemplo de castidade. Eis a razão por que Santo Ambrósio a chama de porta-bandeira da virgindade.

Leia, reze e medite

"Enquanto Jesus falava, um fariseu o convidou para jantar em sua casa. Jesus entrou e pôs-se à mesa. O fariseu ficou admirado ao ver que ele não fizera as abluções antes da refeição. Mas o Senhor lhe disse: 'Vocês, fariseus, limpam a parte externa do copo e do prato, mas por dentro vocês estão cheios de roubo e maldade! Insensatos! Aquele que fez o exterior, não fez também o interior? Deem, antes, em esmola o que têm, e todas as coisas lhes serão puras!'" (Lc 11,37-41).

A Santíssima Virgem era tão amante dessa virtude

Maria, com sua só presença, insinuava a todos pensamentos e afetos de pureza. Isso confirma as palavras de Santo Tomás: a beleza da Santíssima Virgem despertava em quantos a viam o amor à pureza. São Jerônimo é do parecer que São José conservou a virgindade pela companhia de Maria. Refutando a heresia de Elvídio, que negava a virgindade da Mãe de Deus, diz o Santo doutor: dizes que Maria não foi sempre Virgem; mas eu vou mais longe e afirmo que também José permaneceu virgem por causa de Maria...

E isso, com efeito, que se deduz da pergunta de Maria ao arcanjo: "como se fará isso, pois que não conheço varão?" (Lc 1,34). O mesmo afirma a resposta que deu: "faça-se em mim segundo vossa vontade". Com esses termos significa que dá seu consentimento, por ter sido certificada pelo anjo de que se tomaria Mãe, unicamente, por obra do Espírito Santo.

Oração

Ó minha Mãe amada, Sol resplandecente do Senhor, guiai meu coração nos mais nobres sentimentos, para que em tudo eu seja capaz de realizar a vontade do Pai. Confirmai-me em meu desejo sincero de vos entregar minha vida nas mãos de vosso Filho, e assim eu alcance a paz que eu desejo e seja capaz de vencer minhas precariedades. Eu confio em vossa ternura e em vossa presença, ó minha Mãe amada. Amém.

– Rogai por nós, ó Virgem pura e santa.

– E fazei-nos viver na alegria de amar e servir. Amém.

– Salve, Rainha, mãe de misericórdia...

– Rogai por nós, ó Virgem, Mãe e Senhora,

– Para que sejamos dignos das promessas de Cristo.

21º dia

A pobreza

Nosso amoroso Redentor, para ensinar-nos a desprezar os bens do mundo, quis viver pobre na terra. "Por vosso amor Cristo se fez pobre, a fim de que vós fôsseis ricos" (2Cor 8,9). Daí a exortação do Senhor a quantos o querem seguir: Se queres ser perfeito, vai, vende o que tens e dá-o aos pobres (Mt 19,21). Maria, sua mais perfeita discípula, também lhe quis seguir o conselho.

Com a herança de seus pais, teria ela podido viver folgadamente, como prova São Pedro Canísio... Prova-o a oferta que trouxe quando da apresentação no templo. Não ofertou o cordeiro, que era o presente dos ricos, imposto pelo Levítico, mas as duas rolas ou pombas, oferta dos pobres (Lc 2,24).

Leia, reze e medite

"João Batista, que estava na prisão, ficou sabendo das obras que Cristo fazia e mandou dois discípulos perguntar-lhe: 'És tu aquele que deve vir ou temos de esperar outro?' Jesus respondeu-lhes: 'Vão e contem a João o que vocês estão ouvindo e vendo: os cegos veem, os paralíticos andam, os leprosos ficam curados, os surdos ouvem, os mortos ressuscitam e a Boa-Nova é anunciada aos pobres. E feliz aquele que não ficar escandalizado por minha causa!'" (Mt 11,2-6).

Aquele que ama as riquezas nunca há de ser Santo

Eu digo a *virtude* da pobreza, porque essa, segundo São Bernardo, não consiste somente em ser pobre, mas em amar a pobreza. Por isso Jesus Cristo exclamou: "bem-aventurados os pobres de espírito, porque deles é o reino dos céus (Mt 5,3). Bem-aventurado, porque em Deus encontra todos os bens, quem só a ele quer. Sim, encontra na pobreza o paraíso na terra, como São Francisco de Assis o dizia: meu Deus e meu tudo!

Amemos, pois, esse único bem, em que todos os bens estão encerrados, aconselha-nos Santo Agostinho. Só peçamos ao Senhor seu santo amor, a exemplo de São Inácio: "dá-me, Senhor, tua graça e teu amor e eu serei mais do que rico". Se nos afligir a pobreza, consolo nos seja o pensamento de Conrado de Saxônia, de que pobres como nós foram também Jesus e Maria.

Oração

Ah! Minha Mãe Santíssima, bem razão tínheis de dizer que em Deus estava vossa alegria. Pois neste mundo não ambicionastes, nem amastes a outro bem, senão a Deus. Ó Senhora minha, desapegai-me do mundo e atraí-me para vós, a fim de que eu ame esse Bem único, que merece ser amado unicamente. Amém.

– Rogai por nós, ó Senhora da Pobreza bendita do Senhor.

– Libertai-nos das amarras, que nos oprimem, e fazei-nos felizes. Amém.

– Salve, Rainha, mãe de misericórdia...

– Rogai por nós, ó Virgem, Mãe e Senhora,

– Para que sejamos dignos das promessas de Cristo.

22º dia

A obediência

Quando da embaixada de São Gabriel não quis tomar outro nome senão o de escrava. "Eis aqui a escrava do Senhor". Com efeito, testemunha Santo Tomás de Vilanova, essa fiel escrava do Senhor nunca o contrariou, nem por ações, nem por pensamentos. Obedeceu sempre e em tudo à divina vontade, completamente despida de toda vontade própria. Ela mesma declarou que Deus se tinha agradado de sua obediência. "Ele olhou a baixeza de sua serva". A humildade própria de uma serva é ser sempre pronta a obedecer. Por sua obediência, reparou Maria o dano causado pela desobediência de Eva, afirma S. Irineu. "Como a desobediência de Eva causou a morte ao gênero humano, assim pela obediência foi a Virgem, para si e para a humanidade, a causa da salvação".

Leia, reze e medite

"Pedro e João responderam aos membros dos Sinédrio: 'Julgai vós mesmos se é justo aos olhos de Deus obedecer mais a vós que a Deus. Porque quanto a nós, não podemos calar o que vimos e ouvimos". Depois de lhes fazerem novas ameaças, eles os soltaram, não encontrando modo de os castigar, por causa do povo, pois todos glorificavam a Deus pelo que acontecera" (At 4,19-21).

A obediência de Maria foi muito mais perfeita

É óbvia a razão disso. Pois todos os homens sendo inclinados ao mal por causa do pecado original, sentem dificuldades na prática do bem. Mas tal não se deu com a Santíssima Virgem. Isenta da culpa original, nada tinha que a impedisse de obedecer a Deus, escreve São Bernardino de Sena. Como uma roda segue facilmente o impulso que lhe é dado, movia-se também a Virgem a cada impulso, com prontidão. Viveu observando e executando fielmente o divino beneplácito, continua o mesmo Santo. Bem lhe ficam as palavras dos Cânticos: A minha alma se derreteu, assim que meu amado falou (Ct 5,6). Dizia São Filipe Néri, que Deus não pede conta do que fizemos por obediência, porque tornou essa virtude uma obrigação para nós. "O que vos ouve, a mim ouve; o que vos despreza, a mim despreza" (Lc 10,16).

Oração

Ó amável Rainha e Mãe, rogai a Jesus que nos conceda, pelos méritos de vossa obediência, a graça de seguir fielmente as ordens de Deus. Fazei-nos sempre dispostos a assumir com alegria a verdade de vosso Reino e a disposição em vos obedecer em tudo, como fez maria. Iluminai-nos com vosso espírito santo para que alcancemos nosso propósito. Amém.

– Rogai por nós, ó fina Flor de Israel, e Mãe da Obediência.

– Fortalecei nossa esperança de ver um dia a paz reinando entre nós. Amém.

– Salve, Rainha, mãe de misericórdia...

– Rogai por nós, ó Virgem, Mãe e Senhora

– Para que sejamos dignos das promessas de Cristo.

23º dia

A paciência

Não disse o Senhor: por vossa paciência possuireis vossas almas? (Lc 21,19). Deu-nos ele a Virgem Maria para exemplo de todas as virtudes, mas principalmente para modelo de paciência.

Entre outras reflexões, diz São Francisco de Sales que Jesus, nas bodas de Caná, só dirigiu à Santíssima Virgem uma resposta, na qual parecia fazer pouco caso de seu pedido. "Mulher, que nos importa isso, a mim e a ti? Minha hora ainda não chegou". Fê-lo para nos dar um exemplo da paciência de sua Mãe Santíssima. Mas por que citar detalhes particulares? Toda a vida de Nossa Senhora foi um contínuo exercício de paciência...

Só a compaixão com as penas do Redentor foi bastante para torná-la mártir de paciência. Daí a palavra de São Bernardino de Sena: a crucificada concebeu o Crucificado. Quanto ao que sofreu na viagem e estadia no Egito, assim como no tempo em que viveu com o Filho na oficina de Nazaré, já o consideramos acima quando tratamos de suas dores. Bastava sua assistência junto a Jesus moribundo no Calvário, para fazer conhecer quanto foi constante e sublime sua paciência. Foi então, precisamente pelos merecimentos de sua paciência, que se tornou Maria nossa Mãe e nos gerou à vida da graça, diz Santo Alberto Magno.

Leia, reze e medite

"Ora, a gente conhece bem tudo o que é fruto dos baixos instintos: imoralidade, impureza, libertinagem, idolatria, feitiçaria, ódios, brigas, ciúmes, cobiça, discórdia, divisões, sentimentos de inveja, bebedeiras, orgias e coisas semelhantes; eu quero avisar vocês, como já o fiz, que os que cometem tais coisas não herdarão o Reino de Deus. Mas o fruto do Espírito é amor, alegria, paz, paciência, delicadeza, bondade, confiança nos outros, mansidão, domínio de si: contra tais coisas não existe Lei. Ora, os que são de Cristo Jesus crucificaram sua carne com suas paixões e concupiscências. Já que o Espírito é nossa vida, que o Espírito nos faça também agir. Não busquemos a vanglória, provocando-nos uns aos outros, invejando-nos mutuamente" (Gl 5,19-26).

Maria, modelo da virtude da paciência

Se, pois, desejamos ser filhos de Maria, é necessário que nos esforcemos por imitá-la na paciência. E qual dos meios o melhor para aumentar os cabedais de nossos méritos nesta vida e de glória na outra, senão o sofrer os trabalhos com paciência? "Eu hei de cercar teu caminho com espinhos", é uma palavra de Deus a Oseias, a qual, na opinião de São Gregório Magno, tem valor a respeito de todos os eleitos. A cerca de espinhos guarda a vinha, e assim Deus circunda de tribulações seus servos, para que não se apeguem a terra. De modo que a paciência nos livra do pecado e do inferno, conclui São Cipriano.

Oração

Ah! Senhora minha dulcíssima, vós, inocente, padecestes com tanta paciência; e eu, merecedor do inferno, recusar-me-ei a sofrer? Minha Mãe, essa graça hoje vos peço; fazei, não que eu seja livre das cruzes, mas que as suporte com paciência. Rogo-vos, pelo amor de Jesus, que me alcanceis de Deus essa graça; de vós a espero. Amém.

– Rogai por nós, ó Mãe Santa e Paciente.

– Inspirai-nos nas horas mais difíceis, para jamais nos afastarmos de Jesus. Amém.

– Salve, Rainha, mãe de misericórdia...

– Rogai por nós, ó Virgem, Mãe e Senhora,

– Para que sejamos dignos das promessas de Cristo.

24º dia

A oração

Nunca viu a terra uma alma que, como Maria, com tanta perfeição, pusesse em prática o grande preceito do Salvador: importa orar sempre e nunca cessar de o fazer (Lc 18,1). Ninguém melhor do que Maria nos pode servir de exemplo, diz Conrado de Saxônia, e ensinar a necessidade da oração perseverante. Santo Alberto Magno escreve que a Divina Mãe foi, abaixo de Jesus, a mais perfeita na oração, de quantos têm existido e hão de existir... Sobre o texto de Isaías: "Eis que a Virgem conceberá e dará à luz" (7,14) observa São Jerônimo que, em hebreu, a palavra *almah* significa *virgem que vive retraída*. Empregando-a, pois, já predisse o profeta o amor de Maria à solidão...

Leia, reze e medite

"Fiquem, pois, de pé, tendo a verdade como cinturão, a justiça como couraça e como calçado o zelo em propagar o Evangelho da paz; tendo sempre na mão o escudo da fé, graças ao qual vocês poderão extinguir todos os dardos ardentes do Maligno; tomem, finalmente, o capacete da salvação e a espada do Espírito, que é a palavra de Deus. Vivam na oração e nas súplicas; rezem em todo tempo, no Espírito; mantenham uma vigilância incansável e intercedam por todo o povo santo. Rezem também por mim, para me ser dado abrir a boca para falar e anunciar com ousadia o mistério do Evangelho, cujo embaixador eu sou nas minhas prisões; obtenham-me a ousadia de falar dele como devo" (Ef 6,14-20).

Maria, mulher orante e fiel

Quem é perseverante na devoção de Maria pode nutrir a bela esperança de ver realizados todos os seus desejos. Como ninguém, entretanto, pode estar certo de tal perseverança, ninguém, por isso, pode também ter certeza de sua salvação, antes da morte. Memorável ensinamento deixou a seus companheiros São João Berchmans, da Companhia de Jesus. Estando ele para morrer, perguntaram-lhe por um obséquio que fosse muito agradável a Nossa Senhora e dela lhes obtivesse a proteção. O Santo respondeu: pouca coisa, mas com constância.

Oração

Virgem Santíssima, impetrai-nos o amor ao retiro e à oração, para que, desapegados do amor às criaturas, possamos aspirar só a Deus e ao paraíso, onde vos esperamos ver um dia, para louvar-vos e amar-vos sempre, juntamente com vosso Filho Jesus Cristo, por todos os séculos dos séculos. Amém.

– Rogai por nós, ó Mãe da Oração, da paciência e da caridade.

– Despertai-nos mais intensamente para a vida de oração. Amém.

– Salve, Rainha, mãe de misericórdia...

– Rogai por nós, ó Virgem, Mãe e Senhora,

– Para que sejamos dignos das promessas de Cristo.

Salve-Rainha

Salve-Rainha

Esta bela e graciosa oração da Salve-Rainha, por alguns atribuída ao Bispo Ademar de Puy (†1098), tem por autor Hermano Contracto (†1054), monge beneditino do convento de Reichenau, no lago de Constança. Dele temos também certamente a admirável melodia. Já os primeiros Cruzados cantaram-na em 1099, o que mostra que o povo também a conhecia. Durante os séculos XII e XIII, mais e mais se espalhou o costume de cantá-la logo após as Completas. Assim faziam os Cistercienses desde 1218 e os Dominicanos desde 1226. Em 1239, o Papa Gregório IX introduziu esse cântico nas Igrejas de Roma. Encaminhavam-se os monges, de velas acesas, para um altar lateral e aí o entoavam. No começo, o hino dizia: Salve, Rainha de Misericórdia. No século XVI, introduziu-se-lhe a palavra mãe. Desde então se lê no Breviário romano: Salve, Rainha, mãe de misericórdia.

25º dia

Salve, Rainha, mãe de misericórdia

Tendo sido a Santíssima Virgem elevada à dignidade de Mãe de Deus, com justa razão a Santa Igreja a honra e quer que de todos seja honrada com título glorioso de Rainha... Desde o momento em que Maria aceitou ser Mãe do Verbo Eterno, diz São Bernardino de Sena, mereceu tornar-se Rainha do mundo e de todas as criaturas. Se a carne de Maria, conclui Arnoldo, abade, não foi diversa da de Jesus, como, pois, da monarquia do Filho pode ser separada a Mãe? Por isso deve julgar-se que a glória do Reino não só é comum entre a Mãe e o Filho, mas também que é a mesma para ambos.

Se Jesus é Rei do universo, do universo também é Maria Rainha, Maria é, pois, Rainha. Mas saibamos todos, para consolação nossa, que é uma Rainha cheia de doçura e de clemência, sempre inclinada a favorecer e fazer bem a nós, pobres pecadores. Quer, por isso, a Igreja que a saudemos nesta oração com o nome de Rainha de Misericórdia.

Leia, reze e medite

"Vocês são o povo de Deus, escolhido, santo e amado. Por isso procurem revestir-se de sentimentos de misericórdia, de bondade, de humildade, de mansidão e de tolerância. Saibam suportar uns aos outros e perdoem uns as faltas dos outros, quando surgir motivo para queixa. Que cada um perdoe ao outro, do mesmo modo que o Senhor perdoou a vocês. E, principalmente, tenham amor, que faz a perfeita união. Que a paz de Cristo reine em seus corações, pois a ela vocês foram chamados para formar um só corpo. Vivam agradecendo a Deus! Que a palavra de Cristo, em toda a sua riqueza, habite no coração de vocês. Ensinem e animem-se uns aos outros com toda sabedoria. De coração agradecido, louvem a Deus com salmos, hinos e cânticos inspirados. E qualquer atividade sua, de palavra ou de ação, seja feita em nome do Senhor Jesus, agradecendo por meio dele a Deus-Pai" (Cl 3,12-17).

Maria é Rainha de Misericórdia

Podemos, porventura, temer que Maria desdenhe empenhar-se pelo pecador, por vê-lo tão carregado de pecados? Ou acaso nos devem intimidar a majestade e a santidade dessa grande Rainha? Não, diz o Papa São Gregório, porque quanto ela é mais excelsa e mais santa, tanto é mais doce e mais piedosa para com os pecadores, que se querem emendar e a ela recorrem. A majestade dos reis e das rainhas causa temor e faz com que os súditos temam chegar à presença deles. Mas onde estão, pergunta São Bernardo, os infelizes que podem ter medo de apresentar-se a essa Rainha de Misericórdia? Nela nada há de terrível e severo. É toda benigna e amável para todos os que a procuram. Maria não só dá quando lhe pedimos, mas ela mesma oferece a todos nós leite e lã. Leite de misericórdia para animar-nos à confiança, e lã e refúgio para nos defender dos raios da justiça divina.

Oração

Ó Mãe de meu Deus e Senhora minha, ó Maria, tal como se apresenta a uma excelsa soberana um pobre chagado e repugnante, apresento-me eu a vós, que sois a Rainha do céu e da terra. Rogo-vos, lá do alto trono em que estais sentada, que vos digneis volver vossos olhos para este pobre pecador. Deus vos fez tão rica, a fim de socorrerdes os pecadores; elegeu-vos Rainha para que pudésseis aliviar os miseráveis. Olhai, pois, para mim e compadecei-vos de minha miséria. Olhai-me e não me abandoneis enquanto de pecador não me tiverdes mudado em santo. Bem sei que nada mereço. Antes por minha ingratidão mereceria ser privado de todas as graças que do Senhor recebi por vosso intermédio. Mas vós, que sois Rainha de Misericórdia, buscais de preferência misérias e não méritos para socorrer os necessitados. Ora, quem há mais necessitado e miserável do que eu?...

Sim, ó amabilíssima Rainha, de hoje em diante mais do que ninguém vos hei de amar e honrar. Assim o prometo e assim espero executá-lo com vosso auxílio. Amém.

– Rogai por nós, ó Virgem e Mãe de misericórdia.

– E conservai-nos na alegria e na paz do Senhor. Amém.

– Salve, Rainha, mãe de misericórdia...

– Rogai por nós, ó Virgem, Mãe e Senhora,

– Para que sejamos dignos das promessas de Cristo.

26º dia

Vida, doçura e esperança nossa, salve

Para a exata compreensão da razão por que a Santa Igreja nos ordena que chamemos a Maria nossa vida, é necessário saber que, assim como a alma dá vida ao corpo, assim também a graça divina dá vida à alma. Uma alma sem a graça divina só tem nome de vida, mas na realidade está morta, como foi dito àquele bispo no Apocalipse: "tens reputação de que vives, mas estás morto" (Ap 3,1). Obtendo Maria, por meio de sua intercessão, a graça aos pecadores, deste modo lhes dá vida... Deus não destruiu o homem logo após o pecado, devido ao singular amor para com essa sua futura filha. Não lhe resta a menor dúvida de que todas as misericórdias e mercês, em favor dos pecadores na Antiga Lei, só lhes tinham sido feitas por Deus em consideração dessa abençoada Virgem... Para nossa consolação, declarou-o São Gabriel Arcanjo, quando disse à Virgem: "não temas, Maria, pois achaste graça diante de Deus" (Lc 1,30). A Virgem, entretanto, sempre esteve com Deus e não só em graça, mas cheia de graça, como o mesmo arcanjo manifestou, quando, ao saudá-la, disse-lhe: "Ave, Maria, cheia de graça; o Senhor é contigo..."

Leia, reze e medite

"Muitos seguiam Jesus e ele curou todos os doentes, proibindo-lhes severamente que o tornassem conhecido, a fim de se cumprir o que fora predito pelo profeta Isaías: 'Eis o meu Servo, que escolhi, meu Amado, no qual minha alma se compraz. Porei nele o meu Espírito e ele anunciará a verdade às nações. Não discutirá, nem gritará, nem se ouvirá sua voz nas praças públicas. Não quebrará o caniço rachado, nem apagará a mecha que ainda fumega, até que faça triunfar a verdade. E em seu nome as nações colocarão sua esperança'" (Mt 12,15-21).

Por Maria obtemos a graça da perseverança

Com as palavras dos Provérbios a nós se dirige Maria: Feliz aquele que me ouve e que vela todos os dias à entrada de minha casa (8,34). Feliz quem escuta minha voz e, por isso, está de alerta para vir sempre à porta de minha misericórdia, em busca de socorro e de luzes. Sem dúvida não deixará Maria de obter-lhe luzes e força para sair do vício e trilhar pela vereda da virtude. Pelo que graciosamente Inocêncio III lhe chama "lua de noite, aurora de manhã, sol de dia". É lua para quem está cego na noite do pecado, a fim de esclarecê-lo e mostrar-lhe o miserável estado de condenação em que se acha. É aurora, isto é, precursora do sol para quem já está em graça, é finalmente sol, cuja luz o livra de cair em algum precipício... Oh! Se todos os homens amassem essa tão benigna e amorosa Senhora, e se nas tentações sempre e sem demora recorressem a seu patrocínio, quem cairia jamais? Quem se perderia jamais? Cai e perece só quem não recorre a Maria.

Oração

Ó Mãe de piedade, Virgem sacrossanta, eis a vossos pés o traidor, que, em pagando com ingratidão as mercês, por vossa intercessão recebidas de Deus, tem sido infiel a vós e a ele. Mas, Senhora, vós bem sabeis que minha infidelidade não tira, antes aumenta, minha confiança em vós, pois vejo que minha miséria faz crescer vossa compaixão para comigo.

Mostrai, pois, ó Maria, que sois cheia de liberdade e de misericórdia para com este pecador, assim como o sois para com todos aqueles que vos invocam.

Basta que me olheis e tenhais compaixão de mim. Se vosso coração se compadecer, que posso eu temer? Não; não temo nada. Não temo meus pecados, porque podeis remediar o mal que fiz. Não temo os demônios, porque vós sois mais poderosa que o inferno todo. Não; não temo vosso Filho, justamente irritado contra mim, porque uma só palavra vossa o aplacará. Só temo por minha negligência que me leve a deixar de recomendar-me a vós em minhas tentações e, por isso, perca-me. Mas isto é o que hoje vos prometo: quero recorrer sempre a vós. Ajudai-me a executá-lo. Vede que bela ocasião tendes de satisfazer vosso desejo de socorrer um miserável, qual eu sou!

Ó Mãe de Deus, eu tenho uma grande confiança em vós. De vós espero a graça de chorar como devo meus pecados! E de vós espero a fortaleza para não tornar a cair neles. Se eu estou enfermo, vós, ó auxílio celeste, podeis valer-me. Se minhas culpas me fizeram ser fraco, vosso socorro me fará valente. Ó Maria, tudo espero de vós, porque podeis tudo junto de Deus. Amém.

– Rogai por nós, ó Vida, doçura e esperança nossa.

– Guardai-nos, protegei-nos e levai-nos a Jesus, nosso Redentor. Amém.

– Salve, Rainha, mãe de misericórdia...

– Rogai por nós, ó Virgem, Mãe e Senhora,

– Para que sejamos dignos das promessas de Cristo.

27º dia

A vós bradamos, os degredados filhos de Eva

Não só do céu e dos santos é Maria Santíssima Rainha, senão também do inferno e dos demônios, porque os venceu valorosamente com suas virtudes. Já desde o princípio do mundo, tinha Deus predito à serpente infernal a vitória e o império que sobre ela obteria nossa Rainha. "Eu porei inimizade entre ti e a mulher; ela te esmagará a cabeça" (Gn 3,15). Mas quem foi esta mulher, sua inimiga, senão Maria, que, com sua profunda humildade e santa virtude, sempre venceu e abateu as forças de Satanás, como atesta São Cipriano? É para se notar que Deus falou "eu porei" e não "eu ponho" inimizade entre ti e a mulher. Isso faz para mostrar que sua vencedora não era Eva, que já então vivia, mas uma descendente sua. Esta devia trazer a nossos primeiros pais, como diz São Vicente Ferrer, um bem maior do que aquele que tinha perdido com seu pecado. Maria é, portanto, essa excelsa *mulher forte* que venceu o demônio e, em lhe abatendo a soberba, esmagou-lhe a cabeça, conforme as palavras do Senhor: Ela te esmagará a cabeça.

Leia, reze e medite

"Assim como por meio de um só homem o pecado entrou no mundo e, pelo pecado, entrou a morte; assim, a morte passou para todos os homens, porque todos pecaram. Já antes da lei havia pecado no mundo; o pecado, porém, não é levado em conta quando não existe lei. No entanto, a morte dominou desde Adão até Moisés, mesmo sobre aqueles que não pecaram como pecou Adão, que era figura daquele que devia vir. Entretanto, não acontece com o dom o mesmo que aconteceu com a falta. Se, pela falta de um só, todos morreram, com quanto maior abundância se derramou sobre todos a graça de Deus e o dom gratuito de um só homem, Jesus Cristo!" (Rm 5,12-15).

O nome de Maria

Ó Senhora minha, exclama São Germano, só pela invocação de vosso nome segurais vossos servos de todos os assaltos do inimigo. Se os cristãos nas tentações tivessem cuidado de proferir com devoção e confiança o nome de Maria, é certo que não cairiam nelas. Ó Mãe de Deus, se confiar em vós, não serei certamente vencido, pois, defendido por vós, perseguirei meus inimigos; triunfarei com certeza, opondo-lhes como escudo vossa proteção e vosso onipotente patrocínio.

Lemos no Antigo Testamento que o Senhor guiava seu povo na saída do Egito, de dia, por meio de uma coluna de nuvem, e à noite, por uma coluna de fogo (Êx 13,21). Essa maravilhosa coluna, ora de nuvem ora de fogo, era figura de Maria e dos ofícios que exerce continuamente para nosso bem.

Como nuvem, protege-nos dos ardores da divina justiça; como fogo, defende-nos contra os demônios. Assim como a cera se derrete ao calor do fogo, também perdem os demônios toda a força sobre as almas que, lembradas do nome de Maria, invocam-na com frequência e, principalmente, procuram imitá-la.

Oração

Se eu vos tivesse chamado sempre em meu socorro, se vos houvesse invocado, jamais teria perecido... Ah! Minha Rainha e meu refúgio, ajudai-me; tomai-me sob vosso manto e nunca permitais que eu torne a ser presa do inferno. Sei que sempre me haveis de valer e dar vitórias todas as vezes que vos invocar. Temo, contudo, que nas tentações me esqueça de chamar-vos em meu socorro. Eis, portanto, a graça que vos imploro e de vós espero, ó virgem Santíssima. Fazei que sempre vos tenha presente à memória, especialmente nas lutas contra as tentações.

Ajudai-me para que então vos diga muitas vezes: Maria, valei-me, valei-me, ó Maria. E, quando chegar finalmente o dia de minha última luta com o inferno, na hora da morte, assisti-me então, ó minha Rainha, de modo especial. Fazei vós mesma que eu me lembre de invocar-vos sem cessar, com a boca ou com o coração, para que, expirando com vosso dulcíssimo nome e o de vosso Filho Jesus nos lábios, possa ir vos bendizer e louvar e nunca mais separar-me de vossos pés, por toda eternidade no paraíso. Amém.

– Rogai por nós, ó Virgem bendita, pois a vós recorremos.

– Em todas as nossas necessidades, estendei-nos vossas mãos. Amém.

– Salve, Rainha, mãe de misericórdia...

– Rogai por nós, ó Virgem, Mãe e Senhora,

– Para que sejamos dignos das promessas de Cristo.

28º dia

A vós suspiramos, gemendo e chorando neste vale de lágrimas

É a invocação e veneração dos santos, particularmente a de Maria, Rainha dos santos, uma prática não só lícita senão útil e santa, pois procuramos, por meio dela, obter a graça divina. Essa verdade é de fé, estabelecida pelos Concílios contra os hereges que a condenam como injúria feita a Jesus Cristo, nosso único medianeiro. Mas, se, depois da morte, um Jeremias reza por Jerusalém; se os anciãos do Apocalipse apresentam a Deus as orações dos santos; se São Paulo promete a seus discípulos lembrar-se deles depois da morte; se São Estevão intercede por seus perseguidores e São Paulo, por seus companheiros; se, em suma, podem os santos rogar por nós, por que não poderíamos nós, por nossa vez, rogar-lhes para que intercedam por nós? Às orações de seus discípulos recomenda-se São Paulo: "Irmãos, rezai por nós" (1Ts 5,25). São Tiago exorta-nos "que roguemos uns pelos outros" (Tg 5,16). Podemos, por conseguinte, fazer o mesmo.

Que seja Jesus Cristo único Mediador de justiça a reconciliar-nos com Deus, pelos seus merecimentos; quem o nega? Não obstante isso, compraz-se Deus em conceder-nos suas graças pela intercessão dos santos e especialmente de Maria, sua Mãe, a quem tanto deseja Jesus ver amada e honrada.

Leia, reze e medite

"Com efeito, são filhos de Deus todos os que se deixam conduzir pelo Espírito de Deus. O Espírito que vocês receberam não os torna escravos, para viverem com medo; mas vocês receberam um Espírito que os transformou em filhos adotivos e que nos permite exclamar: 'Abba, Papai!' O próprio Espírito atesta a nosso espírito que somos filhos de Deus. E, se somos filhos, somos também seus herdeiros: herdeiros de Deus; herdeiros com o Cristo, já que, tomando parte em seus sofrimentos, vamos participar também de sua glória" (Rm 8,14-17).

Intercessão e cooperação de Maria na obra da redenção

Maria é chamada cooperadora de nossa justificação, diz Bernardino de Busti, porque Deus lhe entregou as graças todas que nos quer dispensar. Por isso, no dizer de São Bernardo, todas as gerações, passadas, presentes e futuras, devem considerar Maria como medianeira e advogada da salvação de todos os séculos.

Garante-nos Jesus Cristo que ninguém pode vir a ele, a não ser que o Pai o traga. "Ninguém pode vir a mim, se o Pai o não atrair" (Jo 6,44). O mesmo também, no sentir de Ricardo de São Lourenço, diz Jesus de sua Mãe. Ninguém pode vir a mim, se minha Mãe o não atrair com suas preces. Jesus foi o fruto de Maria, como disse Santa Isabel (Lc 1,42). Quem quer o fruto deve também querer a árvore. Quem, pois, quer a Jesus deve procurar Maria; e quem acha Maria, certamente, acha também Jesus. Vendo Isabel a Santíssima Virgem, que a fora visitar em sua casa, e não sabendo com lhe agradecer, exclamou cheia de humildade: e donde a mim está dita, que venha visitar-me a Mãe do meu Senhor? (Lc 1,43). Mas como assim pergunta? Não sabia já Isabel que não só Maria, como também Jesus tinha vindo a sua casa? Por que, pois, declara-se indigna de receber a Mãe, em vez de confessar-se indigna de ver o Filho vir a seu encontro? Ah! É porque bem entendia a Santa que Maria vem sempre com Jesus e que, portanto, bastava-lhe agradecer à Mãe sem nomear o Filho.

Oração

Ó Rainha e Mãe de misericórdia, que concedeis as graças a todos aqueles que vos invocam, com tanta liberalidade, porque sois Rainha, e com tanto amor, porque sois nossa Mãe amantíssima; a vós hoje me encomendo, eu, tão pobre de merecimentos como carregado de dívidas para com a divina justiça. Em vossas mãos, ó Maria, está a chave das misericórdias divinas. Não olvideis a minha penúria e não me abandoneis em minha pobreza. Sois tão liberal com todos e acostumada a dar mais do que vos pedem. Mostrai a mesma liberalidade em meu favor! Protegei-me, Senhora minha, eis o que vos peço. Nada receio se me protegeis...

Ó Mãe de Misericórdia, eu sei que tendes prazer e vos gloriais em ajudar os pecadores mais miseráveis e que os podeis ajudar, contanto que não sejam obstinados. Eu sou pecador, mas não sou obstinado; quero mudar de vida. Podeis, pois, ajudar-me; velai-me e salvai-me. Ponho-me hoje em vossas mãos. Dizei-me o que hei de fazer para dar gosto a vosso socorro, ó Maria, minha Mãe, minha luz, minha consolação, meu refúgio, minha esperança.

– Rogai por nós, ó Mãe Santa e piedosa, Mãe de misericórdia.

– Sede nossa força na caminhada para Jesus. Amém.

– Salve, Rainha, mãe de misericórdia...

– Rogai por nós, ó Virgem, Mãe e Senhora,

– Para que sejamos dignos das promessas de Cristo.

29º dia

Eia, pois, advogada nossa, a nós volvei esses vossos olhos misericordiosos

Tem razão Santo André Avelino ao chamá-la administradora dos bens do paraíso, porque continuamente está às voltas com a Misericórdia, impetrando graças para todos, tanto para os justos como pecadores. Os olhos do Senhor estão sobre os justos, diz Davi (Sl 33,16). Durante sua vida na terra, tinha a Virgem um coração cheio de piedade e ternura para com os homens, observa São Jerônimo; mas tinha-o de tal forma que ninguém poderia sentir tão vivamente suas próprias aflições, como Maria sentia as alheias. Bem o mostrou nas bodas de Caná...

Quando se dizem devotamente à Santíssima Virgem estas palavras: "Eia, pois, advogada nossa, a nós volvei esses vossos olhos misericordiosos", não pode Maria deixar de volver os olhos para quem a invoca. Assim foi revelado a Santa Brígida. Ó soberana Senhora, exclama São Bernardo, como é grande vossa misericórdia; dela a terra inteira está cheia! Declara, por isso, São Boaventura que essa Mãe amorosíssima tem o mais vivo desejo de fazer bem a todos; que se julga ofendida não só por quantos a injuriam, como por aqueles que não solicitam seus favores. Vós mesma nos ensinais, ó Senhora, exclama São Hildeberto, a esperar por graças superiores a nossos merecimentos, já que sem cessar continuais dispensando-nos tais favores.

Leia, reze e medite

"Deem a todo aquele que lhes pedir e não reclamem de quem lhe tira o que é seu. Façam aos outros aquilo que vocês querem que eles lhes façam. Se vocês amam somente aqueles que os amam, que merecimento há nisso? Também os pecadores amam aqueles que os amam. E se vocês fizerem bem somente àqueles que lhes fazem bem, que merecimento há nisso? Também os pecadores agem assim. E se vocês emprestarem somente àqueles de quem vocês esperam receber, que merecimento há nisso? Também os pecadores emprestam aos pecadores, para receberem o equivalente. Amem, portanto, seus inimigos, façam bem e emprestem sem nada esperar em retribuição. Então será grande sua recompensa e vocês serão filhos do Altíssimo, porque ele é bom para com os ingratos e para com os maus. Sejam misericordiosos como o Pai de vocês é misericordioso!" (Lc 6,30-36).

Maria intercede sem cessar pelos pecadores

Oh! Com quanta eficácia e amor, diz São Bernardo, não trata essa nossa advogada do problema de nossa salvação! Não cessa Conrado de Saxônia de admirar o afeto e o empenho com que Maria continuamente intercede por nós junto à Divina Majestade e para nós pede o perdão, o auxílio das graças e o livramento dos perigos, bem como a consolação nos sofrimentos. Em seguida, a ela se dirige nestes termos: confessamos que no céu só temos a vós como única solícita protetora. Quer ele dizer: é verdade que todos os santos se interessam por nossa salvação e pedem por nós; mas a caridade e ternura demonstrada por vós, alcançando-nos tantas misericórdias de Deus, obrigam-nos a declarar-vos como nossa única advogada no céu, a única que no verdadeiro sentido da palavra é amante e solícita de nossa salvação. E como é grande essa solicitude de Maria em falar continuamente em nosso favor junto de Deus! Quem poderá medi-la jamais? No ofício de proteger-nos não conhece a Virgem o que seja fadiga, diz São Germano. Que bela palavra! Maria roga e sempre torna a rogar por nós e não se cansa de o fazer, para nos livrar dos males e nos obter as graças. A tal ponto chega sua compaixão perante nossas misérias e seu amor para conosco!

Oração

Falai, ó minha Senhora – dir-vos-ei com São Bernardo, falai, porque vosso divino Filho vos escuta e tudo o que lhe pedirdes vo-lo concederá. Ó Maria, advogada nossa, falai então em favor dos miseráveis pecadores. Lembrai-vos de que é para nossa felicidade também que recebestes de Deus tão grande poder e dignidade. Se um Deus se dignou fazer-se vosso devedor pela natureza humana que de vós assumiu, é para que possais a vosso grado dispensar aos miseráveis os tesouros da divina misericórdia. Vossos servos somos, dedicados de modo especial a vosso serviço, e nos gloriamos de viver sob vossa proteção.

Ó Maria, se fazeis bem a todos os homens, ainda aos que não vos conhecem ou honram, e até aos que vos ultrajam e blasfemam, que não devemos esperar de vossa benignidade que busca os miseráveis para os socorrer, nós que vos honramos, amamos e confiamos em vós?... Alcançai-nos uma sincera conversão, o amor de

Deus, a perseverança, o paraíso. Grandes favores vos pedimos; mas não podeis obter tudo? Seria muito para o amor que Deus vos tem? Bastante vos é abrir a boca e implorar vosso Filho: ele nada vos recusa. Rogai, pois, ó Maria, rogai por nós; intercedei por nós, sereis atendida e nós seremos salvos com certeza.

– Rogai por nós, ó Advogada e Senhora nossa.

– Tornai fecundo e profundo nosso viver e nosso amar. Amém.

– Salve, Rainha, mãe de misericórdia...

– Rogai por nós, ó Virgem, Mãe e Senhora,

– Para que sejamos dignos das promessas de Cristo.

30º dia

E, depois desse desterro, mostrai-nos Jesus, bendito fruto do vosso ventre

É impossível que se perca um devoto de Maria, que fielmente a serve e a ela se encomenda... É impossível salvar-se quem não é devoto de Maria, não vive sob sua proteção, diz Santo Anselmo, e também é impossível que se condene quem se encomenda à Virgem e por ela é olhado com amor. Quase com os mesmos termos isso confirma Santo Antonino: não podem salvar-se aqueles dos quais Maria tem afastado seus misericordiosos olhos; mas salvam-se necessariamente os que por ela são vistos com amor e protegidos por sua intercessão...

Demos graças ao Senhor, se vemos que nos tem dado afeto e confiança para com a Rainha do céu, pois, segundo São João Damasceno, Deus só faz semelhante graça a quem quer salvar. Eis as belas palavras com que o Santo reanima a sua e a nossa esperança: Ó Mãe de Deus, se em vós puser minha confiança, serei salvo. Se estiver sob vossa proteção, nada tenho a recear, porque a devoção para convosco é uma segura arma de salvação, por Deus concedida só aos que deseja salvar.

Leia, reze e medite

"Um grande sinal apareceu no céu: uma Mulher vestida com o sol, tendo a lua sob os pés e uma coroa de doze estrelas na cabeça. Estava grávida e gritava de dor, angustiada para dar à luz. Apareceu ainda um outro sinal no céu: um enorme Dragão, cor de fogo, com sete cabeças e dez chifres, e sobre as cabeças sete diademas; sua cauda arrastou um terço das estrelas do céu, atirando-as sobre a terra. O Dragão parou diante da Mulher que estava para dar à luz, para engolir seu filho, logo que nascesse. Ela deu à luz um filho, um menino, aquele que vai governar todas as nações com cetro de ferro. Mas seu filho foi arrebatado para junto de Deus e de seu trono. E a Mulher fugiu para o deserto, onde Deus lhe havia preparado um refúgio, para que lá fosse alimentada durante mil e duzentos e sessenta dias" (Ap 12,1-6).

Pela devoção a Maria salvaram-se

Oh! Quantos não estariam agora no céu, se Maria, com sua poderosa intercessão, para ali não os tivesse conduzido. "Eu fiz com que nascesse no céu uma luz que nunca falta" (Eclo 24,6). O Cardeal Hugo, aplicando esse texto à Santíssima Virgem, fá-la dizer: faço brilhar no céu tantos luzeiros eternos, quantos são meus devotos. Por isso ele acrescenta: muitos santos acham-se no céu pela intercessão de Maria e sem ela jamais lá estariam.

Garante São Boaventura que as portas do céu se abrem para receber a quantos confiam no patrocínio de Maria. Santo Efrém diz, por isso, ser esta devoção a abertura do paraíso. E Blósio assim se dirige à Virgem Maria: Senhora, a vós estão confiadas as chaves e os tesouros do reino celestial. Portanto, continuamente lhe devemos pedir com Santo Ambrósio: abri-vos, ó Maria, a porta do paraíso, já que dele tendes as chaves e sois a porta, como vos chama a Santa Igreja.

Oração

Ó Rainha do paraíso, Mãe do santo amor, sois entre todas as criaturas a mais amável, a mais amada por Deus e aquela que mais o ama. Consenti que também vos ame um pecador, que é o mais ingrato e miserável dos que vivem na terra. Por vosso inter-

médio, vejo-me livre do inferno e sem mérito algum de tal modo cumulado de benefícios por vós, que agora me sinto todo enamorado de vós.

Quereria, se pudesse, fazer saber a todos quantos vos não conhecem quão digna sois de ser amada, para que todos vos conhecessem e amassem. Quereria também morrer por vosso amor, em defesa de vossa virgindade, de vossa Imaculada Conceição, se fosse preciso dar a vida para defender essas vossas sublimes prerrogativas.

Ah! Mãe diletíssima, aceitai meu afeto e não permitais que um vosso servo, que vos ama, venha a ser inimigo de vosso Deus, a quem tanto amais... Ó Maria, tenho a esperança de salvar-me por vosso auxílio. Rogai a Jesus por mim. Nada mais vos peço. A vós compete salvar-me: sois minha esperança. Quero, portanto, cantar sempre: Ó Maria, esperança minha, por vós verei a Deus um dia. Amém.

– Rogai por nós, ó Mãe bendita e nossa intercessora.

– Estendei sobre nós vosso olhar e vossas mãos e protegei-nos. Amém.

– Salve, Rainha, mãe de misericórdia...

– Rogai por nós, ó Virgem, Mãe e Senhora,

– Para que sejamos dignos das promessas de Cristo.

Ó clemente, ó piedosa, ó doce Virgem Maria

Roguemos, pois, meu amado e devoto leitor, roguemos a Deus, que nos conceda a graça de ser o nome de Maria a última palavra que nossa língua pronuncie. Roguemos a Deus que no-la conceda, como lha pedia um São Germano, dizendo: Ó doce e segura morte, a que é acompanhada e protegida com este nome de salvação, o qual Deus só concede proferir àqueles a quem quer salvar!

Ó minha doce Mãe e Senhora, eu vos amo, e porque vos amo, amo também vosso nome. Proponho e espero com vosso socorro invocá-lo sempre na vida e na morte. Concluo, pois, com a terna oração de São Boaventura: para glória de vosso nome, ó bendita Senhora, quando minha alma sair deste mundo, vinde-lhe ao encontro e tomai-a em vossos braços. Dignai-vos vir consolá-la com vossa doce presença; sede seu caminho para o céu, alcançai-lhe a graça do perdão e o eterno descanso. Ó Maria, advogada nossa, a vós pertence defender vossos devotos e tomar a vossa conta sua causa diante do tribunal de Jesus Cristo.

Oração

Grande Mãe de Deus e minha Mãe, ó Maria, é verdade que eu não sou digno de proferir vosso nome; mas vós, que me tendes amor e desejais minha salvação, concedei-me, apesar de minha indignidade, a graça de invocar sempre em meu socorro vosso amantíssimo e poderosíssimo nome, pois é ele o auxílio de quem vive e salvação de quem morre. Ah! Puríssima e dulcíssima Virgem Maria, fazei que seja vosso nome, de hoje em diante, o alento de minha vida. Senhora, não tardeis a socorrer-me quando vos invocar, pois, em todas as tentações que me assaltarem, em todas as necessidades que me ocorrerem, não quero deixar de chamar-vos em meu socorro, repetindo sempre: Maria, Maria! Assim espero fazer durante a vida, assim espero fazer particularmente na hora da morte, para ir depois louvar eternamente no céu vosso querido nome, ó clemente, ó piedosa, ó doce Virgem Maria.

Ó Maria amabilíssima, que conforto, que suavidade, que confiança, que ternura experimenta a alma só com nomear-vos, só com pensar em vós! Dou graças a meu Deus e Senhor, porque vos deu, para meu bem e minha utilidade, esse nome tão doce, tão amável e tão poderoso.

Mas, Senhora, não me contento só com proferir vosso nome. Quero proferi-lo com amor; quero que vosso amor me leve a invocar-vos a todo instante, para que eu possa exclamar com Santo Anselmo: Ó nome da Mãe de Deus, tu és meu amor.

Ó minha querida Maria, ó meu amado Jesus, fazei que vivam sempre em meu coração, e no de todos, vossos dulcíssimos nomes. Todos os mais se apaguem de minha memória, para que ela só se recorde e só invoque vossos nomes venerados. Ó Jesus, meu Redentor, ó Maria, minha Mãe, quando chegar meu último momento, quando minha alma tiver de sair desta vida, ah!, *concedei-me, pelos vossos merecimentos, esta graça tão grande: que minhas últimas palavras sejam: eu vos amo, Jesus e Maria! Jesus e Maria, eu vos dou meu coração e minha alma! Amém.*

– Ó Santa Mãe de Deus, rogai por nós, pobres filhos vossos.

– Para que vivamos com dignidade filial, hoje e sempre. Amém.

– Salve, Rainha, mãe de misericórdia...

– Rogai por nós, ó Virgem, Mãe e Senhora

– Para que sejamos dignos das promessas de Cristo.

Feliz quem reza com piedade e sinceridade de coração. Com certeza alcança de Deus muito além dos benefícios que espera alcançar. Deus sabe olhar o ser humano por dentro, e nada lhe escapa do olhar. Você que caminhou com Maria pelas sendas da oração, da meditação e soube levantar os olhos e o coração ao céu, tenha a paz, o coração ancorado na misericórdia do Senhor e a proteção da Virgem e Senhora nossa.

Este livro foi composto com as famílias tipográficas Segoe e Minion Pro
e impresso em papel Offset 63g/m² pela **Gráfica Santuário.**